Bienvenue

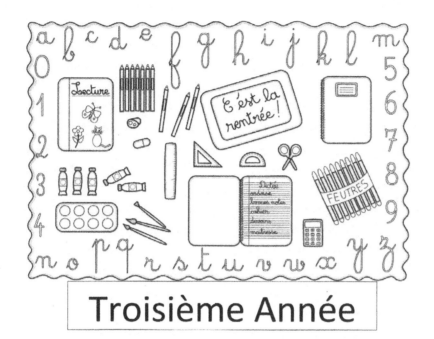

Troisième Année

Nom : _____

Prénom : _____

Printed for Missions In Haiti

For distribution in Haiti

Chahut

Sur le chemin de l'école,
Les crayons de couleur
Sautent du cartable
Pour dessiner des fleurs.

Les lettres font la fête
Debout sur les cahiers,
Elles chantent à tue-tête
L'alphabet des écoliers.

Ciseaux et gommes
Sèment la zizanie,
Ils laissent sur la route
Tout un tas de confettis.

Entends-tu, ce matin,
Le chahut sur le chemin ?
C'est la rentrée qui revient !

Aa Bb Cc Dd Ee Ff
Gg Hh Ii Jj Kk Ll
Mm Nn Oo Pp Qq Rr
Ss Tt Uu Vv Ww Xx
Yy Zz 1 2 3 4 5 6
7 8 9 0

Mieux Parler

A

Marcel avale son déjeuner.
Il avale son déjeuner.
Fais le même changement.

1 — Le rossignol meurt de soif.
2 — Mistigri saute sur l'oiseau.
3 — L'âne trottine sur la route.
4 — Le pompier a été brûlé.
5 — L'enfant caresse le museau du chien.

B

Geneviève fonce sur le chien.
Elle fonce sur le chien.

Fais le même changement.

1 — La poule a pondu un bel œuf.
2 — La mère est là avant l'heure.
3 — La chemisette est tombée à l'eau.
4 — La fourmi cherche sa nourriture sous l'herbe.
5 — La chèvre broute les feuilles des arbustes.

C

Les cheveux sont longs et soyeux.
Ils sont longs et soyeux.

Fais le même changement.

1 — Les canards se tiennent au bord de la mare.
2 — Les voyageurs descendent de l'autobus.
3 — Les arbres sont alignés le long de la route.
4 — Les moustiques bourdonnent le soir.
5 — Les freins ne sont plus bons.

D

Les fleurs s'épanouissent au soleil.
Elles s'épanouissent au soleil.
Fais le même changement.

1 — Les souris restent dans leur trou.
2 — Les assiettes sont sur la table.
3 — Les prunes ont un noyau.
4 — Les dents me font mal.
5 — Les feuilles tombent de l'arbre.

A

Le livre **est à** ma sœur.
C'est le livre **de** ma sœur.
Fais le même changement.

1 — L'auto est à mon papa.
2 — Le sac est à mon voisin.
3 — Le mouchoir est à la maîtresse.
4 — La bicyclette est à Lucien.
5 — Le peigne est à Gilberte.

B

Mon frère **a un** cheval.
C'est le cheval **de** mon frère.
Fais le même changement.

1 — Mon cousin a une guitare
2 — Mon grand-père a une pipe.
3 — L'institutrice a une voiture.
4 — Ma tante a un magasin.
5 — Raymond a une ceinture.

C

Les rubans **sont à** ma cousine.
Ce sont les rubans **de** ma cousine.
Fais le même changement.

1 — Les billes sont à Louis.
2 — Les crayons sont à Gilbert.
3 — Les poules sont à notre voisine.
4 — Les souliers sont à mon frère.
5 — Les paquets sont à la marchande.

D

Mon oncle **a des** lapins.
Ce sont les lapins **de** mon oncle.
Fais le même changement.

1 — Ma sœur a des poupées.
2 — Max a des billes.
3 — Mon ami a des capsules.
4 — Ma marraine a des gants.
5 — Maman a des fleurs.

Voici une belle voiture.
Elle est belle, **cette** voiture.
Fais le même changement.

A

1 — Voici une histoire intéressante.
2 — Voici une fleur parfumée.
3 — Voici une jolie robe.
4 — Voici une belle image.
5 — Voici une crème exquise.

B

Voilà un chien méchant.
Il est méchant, **ce** chien.
Fais le même changement.

1 — Voilà un joueur habile.
2 — Voilà un garçon bavard.
3 — Voilà un gâteau excellent.
4 — Voilà un cola bien frais.
5 — Voilà un chemin rocailleux.

C

Voilà un homme heureux.
Il est heureux, **cet** homme.
Fais le même changement.

1 — Voilà un élève appliqué.
2 — Voilà un autobus tout neuf.
3 — Voilà un avion rapide.
4 — Voilà un oiseau vorace.
5 — Voilà un artiste fameux.

D

Voici des garçons turbulents.
Ils sont turbulents, **ces** garçons.
Fais le même changement.

1 — Voici des souliers propres.
2 — Voici des citrons verts.
3 — Voici des mangues mûres.
4 — Voici des légumes chers.
5 — Voici des chaussettes usées.

A

> **Est-ce que tu vas** à la maison maintenant ?
> **Vas-tu** à la maison maintenant ?
>
> *Pose la question de la même façon.*

1 — Est-ce que tu vas à l'école aujourd'hui ?
2 — Est-ce que tu regardes la télévision ?
3 — Est-ce qu'elle revient du magasin ?
4 — Est-ce qu'ils vont jouer au football ?
5 — Est-ce qu'elles font leur devoir chez elles ?

B

Est-ce que la fenêtre **est ouverte ?**
La fenêtre **est-elle ouverte ?**

Pose la question de la même façon.

1 — Est-ce que l'arbre est plus haut que la maison ?
2 — Est-ce que les oranges sont mûres ?
3 — Est-ce que les souliers sont trop petits ?
4 — Est-ce que l'horloge est arrêtée ?
5 — Est-ce que Robert est tombé sur la cour ?

C

Est-ce qu'il a un ballon neuf ?
A-t-il un ballon neuf ?

Pose la question de la même façon.

1 — Est-ce qu'il a demandé la permission ?
2 — Est-ce qu'il a peur de grimper sur le mur ?
3 — Est-ce qu'elle va souvent au bal ?
4 — Est-ce qu'il chante en classe ?
5 — Est-ce qu'elle a acheté des fraises ?

D

> **Est-ce que** le chasseur **a tué** l'oiseau ?
> Le chasseur **a-t-il tué** l'oiseau ?
>
> *Pose la question de la même façon.*

1 — Est-ce que l'autobus est arrivé ?
2 — Est-ce que la marchande est allée au marché ?
3 — Est-ce que le travail est terminé ?
4 — Est-ce que cet enfant a obéi à la maîtresse ?
5 — Est-ce que l'eau est fraîche ?

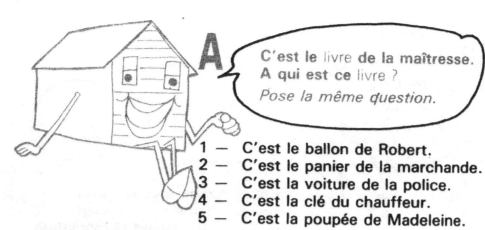

A

C'est le livre de la maîtresse.
A qui est ce livre ?

Pose la même question.

1 — C'est le ballon de Robert.
2 — C'est le panier de la marchande.
3 — C'est la voiture de la police.
4 — C'est la clé du chauffeur.
5 — C'est la poupée de Madeleine.

B

Ce sont les livres **de Paul.**
A qui sont ces livres ?

Pose la même question.

1 — Ce sont les billes de Loulou.
2 — Ce sont les images de Lucienne.
3 — Ce sont les souliers de mon frère.
4 — Ce sont les jouets de Jacques.
5 — Ce sont les fleurs de maman.

C

Ce verre **est à lui, c'est son** verre.
Complète de la même façon.

1 — Ce billet est à lui, c'est...
2 — Ce cheval est à lui,
3 — Cette médaille est à lui,
4 — Ce manteau est à elle,
5 — Cette jupe est à elle,
6 — Ce sac à main est à elle,

D

Ces lunettes **sont à lui.**
Ce sont ses lunettes.

Complète de la même façon.

1 — Ces chaussettes sont à lui.
2 — Ces oiseaux sont à elle.
3 — Ces affaires sont à lui.
4 — Ces cabris sont à elle.
5 — Ces vêtements sont à lui.
6 — Ces gants sont à elle.

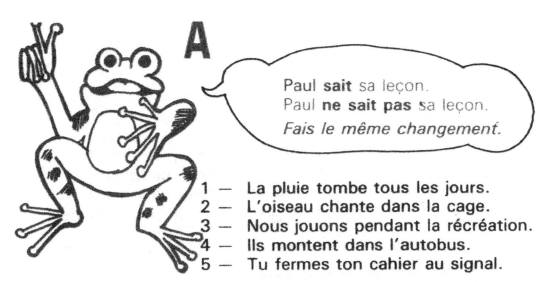

A

Paul **sait** sa leçon.
Paul **ne sait pas** sa leçon.
Fais le même changement.

1 — La pluie tombe tous les jours.
2 — L'oiseau chante dans la cage.
3 — Nous jouons pendant la récréation.
4 — Ils montent dans l'autobus.
5 — Tu fermes ton cahier au signal.

B

Est-ce qu'il **écoute** les explications ?
Il **n'écoute pas** les explications.
Réponds de la même façon.

1 — Est-ce qu'il attend la camionnette ?
2 — Est-ce qu'il entre au salon ?
3 — Est-ce qu'elle arrive en retard ?
4 — Est-ce qu'elle achète le ruban ?
5 — Est-ce qu'ils ont leur imperméable ?

C

Est-ce qu'**il a changé** de place ?
Il n'a pas changé de place.
Réponds de la même façon.

1 — Est-ce qu'il a perdu son sac ?
2 — Est-ce qu'il a reçu son bulletin ?
3 — Est-ce qu'elle a été au bal ?
4 — Est-ce qu'elle est allée en classe ?
5 — Est-ce qu'ils ont pris l'avion ?

D

Est-il **déjà** réveillé ?
Il n'est pas **encore** réveillé.
Réponds de la même façon.

1 — Est-ce qu'il est déjà levé ?
2 — Est-ce qu'il est déjà parti ?
3 — Est-ce qu'on a déjà sonné ?
4 — Est-ce qu'on a déjà donné la composition ?
5 — Est-ce qu'on a déjà apporté le paquet ?

Réginald lève les bras. **Il** pousse de grands cris.
Réginald lève les bras **et** pousse de grands cris.

Fais le même changement.

A

1 — Médor tire sur sa chaîne. Il aboie furieusement.
2 — Le garde siffle. Il arrête l'auto.
3 — Le chat se précipite. Il attrape la souris.
4 — L'oiseau se pose sur la branche. Il chante.
5 — La maîtresse tape dans ses mains. Elle regarde les élèves.

B Les enfants jouent. **Ils** gagnent la partie.
Les enfants jouent **et** gagnent la partie.

Fais le même changement.

1 — Mes souliers sont trop petits. Ils font mal.
2 — Les feuilles mortes se détachent de l'arbre.
Elles tombent à terre.
3 — Les pigeons s'envolent. Ils se posent sur le toit.
4 — Les enfants ramassent leurs affaires. Ils vont sur la cour.
5 — Les oranges mûrissent. Elles tombent de l'arbre.

C **Il n'y a pas de** billes dans ma poche.
Il y a des billes dans ma poche.

Fais le même changement.

1 — Il n'y a pas d'enfants sur la cour.
2 — Il n'y a pas de figues sur le marché.
3 — Il n'y a pas de moustiques dans cette maison.
4 — Il n'y a pas de baigneurs dans la piscine.
5 — Il n'y a pas de fautes dans ma dictée.

D *Remplace les points par* il a *ou par* il y a.

1 — ... des absents dans la classe aujourd'hui.
2 — ... mangé des pistaches pendant la classe.
3 — ... une tache sur ton cahier.
4 — ... déchiré une page de son livre.
5 — ... toujours une marchande au portail.
6 — ... de la poussière sur ton pantalon.
7 — ... des leçons à apprendre ce soir.

11

A

Est-ce que tu te laves les mains ?
Je me lave les mains.
Réponds de la même façon.

1 — Est-ce que tu te brosses les dents ?
2 — Est-ce que tu te frottes les mains ?
3 — Est-ce que tu te grattes la tête ?
4 — Est-ce que tu t'esssuies les lèvres ?
5 — Est-ce que tu te couvres les pieds ?

B

Isabelle dessine **un chat.**
Qu'est-ce qu'Isabelle dessine ?
Pose la même question.

1 — Albert chante une chanson.
2 — Grand-père boit une tasse de café
3 — La maîtresse ramasse les cahiers ?
4 — Les enfants regardent le match.
5 — Caroline écoute la radio.

C

La cuisinière achète **des oranges.**
Qu'est-ce que la cuisinière achète ?
Elle achète des oranges.

Pose la question et réponds de la même façon.

1 — Cédric achète des jouets.
2 — La ménagère essuie les meubles.
3 — Poucette regarde le joli papillon.
4 — Le chauffeur examine les pneus.
5 — Le vent ferme la fenêtre.

D

La maman prépare **un gâteau.**
Que fait la maman ?
Elle prépare un gâteau.

Pose la même question et réponds de la même façon.

1 — Le lion mange le dompteur.
2 — Le singe grimpe sur la branche.
3 — Le mécanicien répare la voiture.
4 — Le pilote dirige l'avion.
5 — L'abeille bourdonne au-dessus des fleurs.

Mathématiques

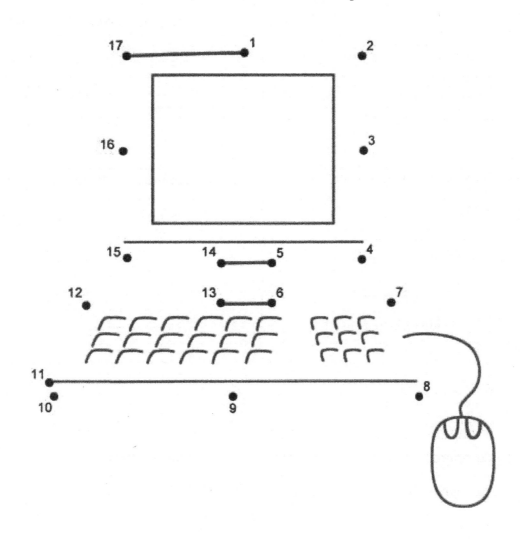

Mathématiques

Complète la suite des nombres.

1. 73 – 74 – 75 -- ____ -- ____ -- ____ -- ____ -- ____ -- ____ -- ____ -- ____ -- ____ -- 85
2. 10 – 20 – 30 -- ____ -- ____ -- ____ -- ____ -- ____ -- ____ -- 100
3. 24 – 26 – 28 -- ____ -- ____ -- ____ -- ____ -- ____ -- ____ -- ____ -- ____ -- ____ -- 48

Ajoute 1 à chacun de ces nombres.

57 ____   38 ____   51 ____

90 ____   9 ____   19 ____

69 ____   40 ____   76 ____

Compte et complète	d	u
00000000 *****		
00000 *		
000000000 *******		

Ecris ces nombres en chiffres.

a) Quatre-vingts

_____

b) Quatre-vingts- quatorze

_____

c) Cinquante et un

_____

d) soixante-seize

_____

Décompose de la même façon.

45 = 40 + 5

79 = _____

82 = _____

26= _____

37= _____

91= _____

Compare les nombres en utilisant

les signes < ou > .

87 ___ 91   78 ___ 81

76 ___ 67   51 ___ 29

59 ___ 60   85 ___ 58

Calcule en ligne

10 + 5= _____

10 + 3= _____

10 + 8 = _____

10 + 7= _____

Révision

Complète ces égalités.

5 + ___ =12   8 + ___ =13   7 + ___ =12

8 + ___ =12   7 + ___ =13   8 + ___ = 12

3 + ___ =12   9 + ___ =13   3 + ___ = 12

Combien de billes Alex et Julie ont-ils ensemble ? _____

J'ai 13 billes

J'ai 9 billes

Combien coutent ensemble un ananas et un melon ? _____

48 G

64 G

Mesure ces segments avec ta règle.

a) ---   _____

b) ----------------------------------   _____

c) --   _____

Trouve le code qui est celui de ce déplacement.

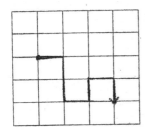

Continue et écris le code de chacun de ces objets.

La gomme (__ , __)

Le cahier (__ , __)

Le ballon (__ , __)

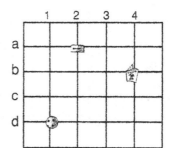

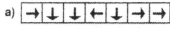

a) → ↓ ↓ ← ↓ → →

b) → ↓ ↓ → ↓ → ↑

c) ↑ ← ↓ ← ↑ ↑ ←

d) → ↓ ↓ → ↑ → ↓

2

15

Révision

Ecris la soustraction qui permet de calculer à chaque fois le reste.

1. J'avais 8 mangues

J'ai mangé 3 mangues.

_____

2. J'avais 9 fleurs

J'ai donné 2 oranges à Luc.

_____

3. Trouve le nombre qui manque à chaque fois.

53	16	59	13	42	24
+ ___	+ ___	+ ___	+ ___	+ ___	+ ___
78	59	69	75	95	67

Range ces nombres par ordre croissant.

a) 267 – 475 – 503 – 817 – 458 – 711- 600

_____

b) 598 – 617 – 601 – 589 – 563 – 654 – 599

_____

c) 714 – 417 – 147 – 741 – 744 – 174

_____

Calcule

a) 112	b) 526	c) 258
+64	+89	+ 97

d) 267	e) 484	f) 56
446	353	647
+ 185	+ 45	+ 72

Révision

Ecris le nom de figures.

1.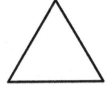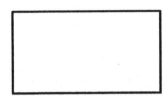

_____   _____   _____

Décompose ces nombres de la même façon.

286= 200 + 80 +6

918 _____   762 _____

291 _____   120 _____

543 _____   806 _____

Ecris les nombres en chiffes.

Neuf cent sept _____

Six cent quatre-vingt-trois _____

Cent seize _____

Trois cent soixante -dix - neuf _____

Décompose ces nombres comme dans l'exemple.

286 c'est **6 unités 8 dizaines 2 centaines**

734 _____

835 _____

297 _____

918 _____

439 _____

❶ Reproduis le dessin sur le quadrillage.

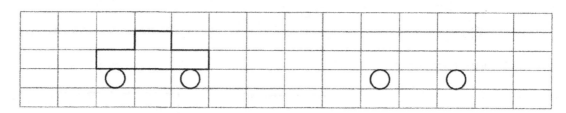

❷ Écris les chemins en mettant les nombres.

↑ ↑ → →   devient   2 ↑ 2 →

→ → → ↑ ↑   devient   ....

← ← ← ↓ ↓ ↓ devient   ....

❸ Trace le chemin suivant en partant de l'étoile.

3 ↑ 2 → 1 ↓

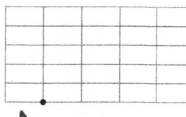

❹ Écris les chemins.

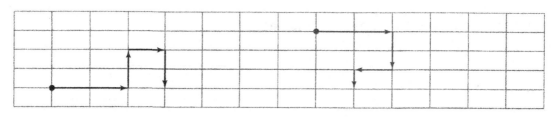

Chemin rouge ....

Chemin vert ....

Grouper par mille

Fais des lots de 10 et écris la quantité en milliers et centaines.

a) ▬▬▬▬▬▬ ▬
▬▬▬▬▬▬ ▬

b) ▬▬▬▬▬▬▬▬
▬▬▬▬▬▬▬▬ ▬

a. _____   b._____

Ecris ces quantités comme dans l'exemple.

1m 2c 3d 5u

a) _____

b) _____

c) _____

a) ▬ ▬▬ ▬ ⭕⭕ •••

b) ▬▬ ▬ •••• ••••

c) ▬ ⭕⭕⭕⭕⭕⭕ ••

Dessine les lots que représentent ces nombres.

	m	C	d	u	
a)	2	4	7	1	
b)	1	7	0	5	
c)	3	0	2	6	
d)	2	8	9	4	

Ecris les quantités suivantes dans le tableau.

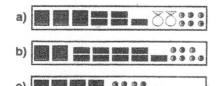

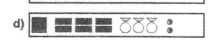

m	c	d	u

Le nombre 1 000

Complète comme l'exemple

8 centaines + 2 centaines = 10 centaines + 1 millier

3 centaines + 7 centaines = _____

1 centaine + 9 centaines = _____

5 centaines + 5 centaines = _____

4 centaines + 6 centaines = _____

Complète comme l'exemple

20 dizaines + 80 dizaines = 100 dizaines = 1 millier

10 dizaines + 90 dizaines= _____

70 dizaines + 30 dizaines= _____

38 dizaines + 62 dizaines= _____

25 dizaines + 75 dizaines= _____

Complète ces suites de nombres.

100, 200, _____, _____, _____, _____, _____, _____, _____, 1 000

Complète ces suites de nombres.

860, 870, _____, _____, 1 000

980, 982, _____, _____, _____, _____, _____, _____, _____, _____, 1 000

René a 19 G, Yanick a 24 G. Combien d'argent ont-ils ensemble ?

Ils ont ensemble : _____

Liline a 12 manges. Nono à 11 mangues. Combien ont-ils de mangues ensemble ?

Ils ont ensemble : _____

Recopie les sommes égales à 1 000.

a) 800+200	999 + 1	924 + 6		
b) 997 + 3	500 + 400	990 + 10		
c) 850 + 100	960 + 40	500 + 500		

Complete les égalités.

995 + ___ = 1 000   997 + ___ = 1 000

991 + ___ = 1 000   994 + ___ = 1 000

999 + ___ = 1 000   998 + ___ = 1 000

980 + ___ = 1 000   950 + ___ = 1 000

990 + ___ = 1 000   910 + ___ = 1 000

Ecris les nombres de 2 en 2 de 974 à 1 000.

974, _____ , _____, _____, _____, _____, _____, _____, _____, _____,
_____, _____, _____, 1 000.

Ecris les nombres impairs de 675 à 699.

675, _____, _____, _____, _____, _____, _____, _____, _____,
_____, _____, 699

Suzie achète 6 oranges, 5 mangues et 7 petits gâteaux. Combien a-t-elle de fruits en tout ? Elle a en tout _____.

Calcule

547	304	27	384	34	25
239	253	34	258	18	7
+142	+286	+15	+136	+36	+73

Ecris les quantités suivantes dans ce tableau.

	m	c	d	u
a				
b				
c				
d				

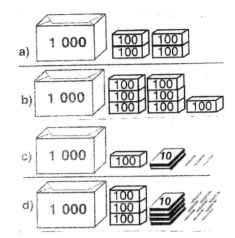

Ecris de la même façon.

1 836 = 1 m 8 c 3 d 6 u

	m	c	d	u
1 418				
1 794				
1 305				
1 583				
1 979				

Ecris de la même façon.

1 532 = 1 000 + 500 + 30 + 2

1 396 = _____   1 257 _____

1 712 = _____   1 149 _____

Ecris ces nombres dans un tableau.	m	c	d	U
Mille deux cent trente-neuf				
Mille sept cent soixante et onze				
Mille six cent quatre-vingt –quatorze				
Mille neuf cent quinze				

❶ Repasse sur les pointillés avec une règle.

❷ Ferme les formes géométriques suivantes avec un trait tiré à la règle.

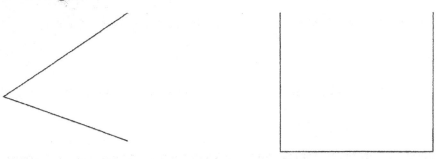

❸ Reproduis avec la règle les figures en suivant le quadrillage.

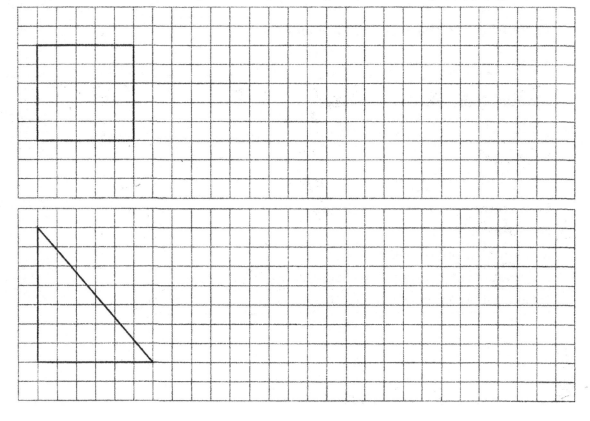

Souligne dans chaque cas la phrase qui correspond à la situation du problème.

Mon livre a 58 pages. J'ai lu 25 pages. Combien de pages me reste-t-il à lire ?

    a) On ajoute les 25 pages aux 58 pages.   b) On enlève les 25 pages des 58 pages.

Harry achète une figue et une mangue pour 17 G. La figue coute 9 G. Combien coute la mangue ?

    a) On ajoute les 9 G aux 17 G.   b) On enlève les 9 G des 17 G.

Victor a 8 billes. Jean lui donne 5 billes. Combien de billes Victor a-t-il en tout ?

    a) On ajoute les 5 billes aux 8 billes.   b) On enlève les 5 billes des 8 billes.

Trouve la réponse

Gary a un sac de 16 billes et un autre sac de 27 billes. Combien de billes a-t-il en tout ?

    a) 27 + 16   b) 27 – 16

Lundi, Denise a vendu 12 oranges. Mardi elle vend 13 oranges. Combien a-t-elle vendu d'oranges en tout ?

    a) 12 + 13   b) 13 – 12

Retranche 1 de chacun de ces nombres.

1 670 _____, 1 070 _____, 1 749 _____, 1 830 _____

Ajoute 1 à chacun de ses nombres.

1 239 _____, 1 377 _____, 1 009 _____, 1 459 _____

Ecris ces nombres dans un tableau.	m	c	d	u
Mille six cent huit				
Mille quatre-vingt-quatre				
Mille sept cent quatre –vingt –quinze				
Mille quatre cent soixante-dix-neuf				

Complète d'abord la phrase avec les nombres qui conviennent, puis réponds à la question.

1. Annie a 15 patates. Elle donne 8 patates à sa sœur. Combien lui reste-t-il de patates.

    Annie enlève _____ patates parmi les _____ patates qu'elle avait.

* _____

2. Fito a 16 G. Il achète une figue pour 5 G. Combien d'argent lui reste-t-il ?

    Fito enlève _____ G des _____ G qu'il avait.

* _____

Résous

3. Suzie a 12 caramels. Elle mange 4 carmels. Combien de carmels lui reste-t-il ?

    _____

    _____

4. Un livre a 128 pages. J'ai lu 103. Combien de pages me reste-t-il à lire.

    _____

    _____

5. Pierre achète un livre pour 54 G et un cahier pour 18 G. Combien d'argent a-t-il dépensé. _____

    _____

6. Olga achète une mandarine pour 6 G. Elle donne 10 G à la marchande. Combien d'argent doit-on lui rendre ? _____

    _____

Ecris de la même façon.

300 + 40 + 1 000 + 2 = 1m 3c 4d 2u

1 000 + 70 + 300 + 6 _____

40 + 600 + 7 _____

9 + 1 000 _____

30 + 2 + 1 000 _____

1.　　　2.　　　3.　　　4.　　　5.　　　6.

Les numéros des lignes ouvrés sont : _____

Les numéros des lignes fermées sont : _____

EXERCISES

A) Trace 2 lignes courbes ouvertures.

C) Mets 2 points et relie ces points

par une ligne droite a la règle.

B) Trace 2 lignes courbes fermées.

A) Trace 2 droites qui se croisent en un point et note ce point B.

B) Trace 3 droites qui se rencontrent en un seul point.

Entoure le chiffre des dizaines et barre le chiffre des milliers.

| 1 761 | | 1 375 | | 1 805 |

1 046   1 972

Ecris tous les nombres pairs de 1 256 à 1 280.

1 256, _____, _____, _____, _____, _____, _____, _____,

_____, _____, _____, _____, 1 280.

Ecris tous les nombres impairs de 1 403 à 1 425.

1 403, _____, _____, _____, _____, _____, _____,

_____, _____, _____, _____, 1 425.

Ecris les nombres d 5 en 5 de 1 760 à 1 800.

1 760, _____, _____, _____, _____, _____, _____,

_____, 1 800

Mets les nombres qui viennent juste avant et juste après.

1 873 < 1 874< 1 875

_____< 1 874 < _____   _____ < 1 400 < _____

_____< 1 000 < _____   _____ < 1 060 < _____

Mets les centaines qui viennent juste avant et juste après.

1 300 < 1 348 < 1 400

_____ < 1 297< _____   _____ < 1 432 < _____

_____ < 1 701 < _____   _____ < 1 054 < _____

_____ < 1 305 < _____   _____ <1 006 < _____

COUCHER DE SOLEIL

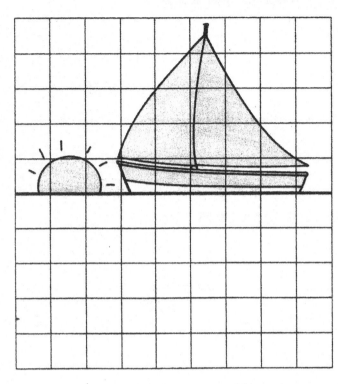

Le soleil va bientôt
se coucher !
Dépêche-toi
de dessiner le reflet
de ce beau voilier !
Observe bien
et pour t'aider,
compte les cases.

FLÉCHETTES

Jean a déjà lancé deux fléchettes.
Dans quelle case doit-il lancer
sa dernière fléchette pour réaliser
un total de 26 points ?

....

Tom a **9 billes et 5 bouchons** dans son tiroir. Sur la table, **il a déposé 6 billes et 7 surettes**. Dans un petit sac, **il a 8 billes et 4 bouchons**.

Complete les phrases avec les nombres qui manquent et réponds aux questions.

1. *Dans son tiroir, Tom a ____ bouchons ; dans le petit sac, il a encore ____ bouchons.*
   Combien Tom a-t-il de bouchons en tout ? _____

2. *Dans son tiroir, Tom à _____ billes ; sur la table il a _____ billes et dans le petit sac il a encore _____ billes.*
   Combien Tom a-t-il de billes en tout.

3. Tom donne 2 surettes a sa petite sœur. Complete la phrase.

   Tom enlève _____ surettes parmi les ____ surettes qu'il avait.

   Combien Tom a-t-il de surettes a Tom ? _____

4. Tom va à l'école avec toutes ses billes. Il joue et perd 6 billes Complete cette phrase.
   Tom perd ____ billes sur les ____ billes qu'il avait.
   Combien lui reste-t-il de billes ? _____

****

Dans une classe, il y a 38 élèves. A la sonnerie, 23 élèves sortent en récréation.
Combien reste-t-il d'élèves dans la classe ?
Il reste d'élèves :_____

Roger achète une grappe de 15 quénèpes et une autre de 18 quénèpes. Combien a-t-il de quénèpes en tout ?
Il a de quénèpes en tout_____

Ecris les nombres qui viennent juste avant et juste après.

	<1 536<			<1 789<	
	< 1 123<			<1 401<	
	<1 660<			<1 003<	
	<1 100<			<1 909<	
	< 1 479<			<1 543<	
	<1 080<			<1 765<	
	< 1 876<			<1 411<	
	<1 543<			<1 181<	

Qui suis-je ?

a) Il me manque 2 pour être égal à 900. _____

b) J'ai une dizaine de plus que 1 000. _____

c) J'ai 3 centaines de moins que 800. _____

Qui suis-je ?

a) J'ai une centaine de plus que 1 840. _____

b) J'ai 4 dizaines de plus que 1 546. _____

c) J'ai 6 dizaines de moins que 572. _____

Calcule

159	137	168	765	987	785
- 92	-85	-73	-432	-654	-573

466	757	329	279	657	484
+ 638	+296	+ 873	+915	+ 836	+768

CARRÉ MAGIQUE

Dans ce carré magique, la somme des nombres inscrits sur une même ligne (horizontale, verticale ou diagonale) est toujours égale à 111. Replace au bon endroit les trois nombres restants.

43	13	__
49	__	25
__	61	31

37   55   19

Ce carré magique se résout avec une série d'additions.
Voir aide-mémoire page 144 : L'ADDITION.

MESURES

Mesure ces crocodiles, puis classe-les du plus petit au plus grand. Écris ensuite dans le même ordre les lettres qui accompagnent ces crocodiles et découvre le mot mystère.

Le mot mystère est :

....

Grammaire

La Phrase

☆ Les mots que je mets ensemble pour dire quelque chose forment une phrase. **Mets en ordre les mots des cases de chaque ligne pour dire une chose que tu comprends.**

1. des/maillots/dans/la/rue/vend/Une/marchande

    _____ .

2. La/boulangère/du/pain/vend

    _____ .

3. copie/sur/Paul / sa/ dictée/le/voisin

    _____ .

4. le/livre/a/déchire/hier/André

    _____ .

5. Un /le/tableau/écrit/élève/sur

    _____ .

6. L'enfant/une/bouteille/a achète /de/kola

    _____ .

7. les/poules/Tu /voir/peux/le/poulailler/dans

    _____ .

8. devant/Une/auto/le/portail/a/stoppe

    _____ .

9. Ecris le numéro de la phrase qui a le plus de mots : _____

10. Ecris le numéro de la phrase qui a le moins de mots :_____

Dans ce texte, on a oublié les points et les majuscules. Copie le texte en mettant les points et les majuscules qui manquent.

l'oiseau-mouche est le plus petit de tous les oiseaux on le trouve partout dans le pays on le prend souvent pour une grosse mouche le dos est vert le ventre est gris quelques plumes de la queue et des ailes sont noires il suce les fleurs en créole on l'appelle quelquefois sousafle on peut voir parfois sur son bec une poussière jaune c'est le pollen qu'il a trouve dans les fleurs il mange aussi des insectes

(D'après Roger Nelson : Les oiseaux)

_____

_____

_____

_____

_____

_____

_____

_____

_____

Les Mots

Pour faire une phrase, j'ai besoin de mots. Pour écrire un mot, je me sers les lettres. Les lettres a,e,i,o,u,y sont les voyelles. Les autres lettres sont les consonnes.

Mets un chiffre après chaque mot pour indiquer le nombre de voyelles.

1. Livre____   2. Cahier____   3. Stylo____   4. Tableau____   5. Brosse____

6. chaise____   7. Valise____   8. Règle____   9. Chiffon____   10. Boite____

Quand je prononce le mot multiplication, tu entends 5 sons : mul-ti-pli-ca-tion

Quand je prononce le mot compagnon, tu entends 3 sons : com-pa-gnon

Quand je prononce le mot tableau, tu entends 2 sons : ta-bleau

Quand je prononce le mot beau, tu entends 1 son : beau

Chaque son que l'on entend lorsque je prononce un mot, s'appelle syllabe

1. Jambe_____   2. Dossier_____   3. Chaise_____

4. carte_____   5. Hygiène_____   6. Calendrier_____

7. carotte_____   8. Reptile_____   9. Chien_____

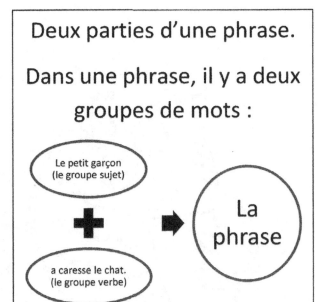

Deux parties d'une phrase.

Dans une phrase, il y a deux groupes de mots :

Le petit garçon
(le groupe sujet)

+ ➜

La phrase

a caresse le chat.
(le groupe verbe)

1. Observe cette phrase : Le petit garçon **a caressé le chat**

Relie par une flèche le groupe sujet par le groupe verbal en gras.

	a caressé le chat.
Le petit garçon	**a donné du lait au chat.**
	a joué avec le chat.
	a chasse le chat.

N.B : Chacun de ces groupes de mots indique ce que le petit garçon a fait.

On l'appelle **groupe verbe ou groupe verbal**

2 – Observe cette phrase : **Le petit garçon** a caressé le chat

Relie par une flèche le groupe sujet en gras par le groupe verbal.

1 - La petite fille

2 – Mon camarade de classe

3 – Ma petite sœur

4 - Maman

5 – Elle

6 – Mon voisin

7 – Il

4

a caressé le chat.

Deux Parties D'une Phrase

Remplace les groupes de mots en gras par d'autres groupes.

1. **Les assiettes neuves** sont sur la table.

   _____

2. Les élèves **récitent leurs leçons**.

   _____

3. Le chauffeur **monte dans la camionnette**.

   _____

4. Les écoliers **jouent sur le terrain de sport**.

   _____

5. **Les piétons** circulent sur la route.

   _____

Remplace les points par un groupe sujet.

1..est couché à l'hôpital.
2...achète du riz, des patates, des choux.
3...a besoin d'une clé.
4...donne des mangues.
5...donne des piqûres.

Remplace les points par un groupe verbe.

1. Le maître ....
2. Le taxi...
3. Maman ....
4. Un élève ....
5. Le gros chien noir ....

Dans chaque phrase sépare le groupe sujet du groupe verbe par un trait vertical.

1. Les élèves jouent pendant la recréation.

2. Le père, la mère et les enfants regardent la télévision.

3. Le cordonnier n'a pas réparé les souliers de mon ami.

4. Les lycéens entraient sur la cour du lycée.

5. Des camions chargés et des voitures rapides passent sur la route.

Ecris la lettre correspondant du groupe verbal sur le trait correspondant au groupe sujet.

Les enfants	1._____	A. Jouent avec lui près de la pelouse.
Les chevaux du voisin	2._____	B. mangent de belles mangues bien mûres.
Les élèves d'école	3._____	C. transportent du sable pour construire la maison.
Le chat	4._____	D. boivent de l'eau à la rivière
Les amis de Roger	5._____	E. sortent de la classe en chatant.
De gros camions	6._____	F. lave les pantalons.
De jeunes écoliers joyeux	7._____	G. entrent dans la classe.
Des motocyclettes bruyantes	8._____	H. attrape des souris.
Le paysan	9._____	J. cultive son jardin.
La lavandière	10._____	K. circulent sur une route très fréquentée.

Remplace le groupe verbe par autre groupe des mots.

1. Le petit chat gris **a mangé la viande.**

   _____

2. Les oiseaux **mangent des grains de maïs.**

   _____

3. Quatre petits oiseaux jaunes **chantaient dans l'arbre.**

   _____

4. Des camions chargés et des voitures rapides **passent sur la route.**

   _____

5. Les élèves achètent **de crème à la vanille.**

   _____

Le groupe sujet est celui qui répond à la question « qui est-ce qui…? » ou « Qu'est-ce qui… ? » posée devant le verbe.
Je peux encadrer le groupe sujet par : « C'est …qui » ou « ce sont…..qui ».

Pose la question « qui est-ce qui ? » pour trouver le groupe sujet.

Exemple :
Le petit garçon a une sucette.
Qui est-ce qui a une sucette ?
C'est le petit garçon qui a une sucette.

1. Elle a une boîte à lunch.

_____ ?

2. L'écolier appliqué soigne ses devoirs.

_____ ?

_____

3. Les élèves studieux étudient toujours leurs leçons.

_____ ?

_____

4. Le maître racontera une belle histoire.

_____ ?

_____

5. Le petit gourmand a mangé du gâteau.

_____ ?

_____

Pose la question « qu'est-ce qui ? » pour trouver le groupe sujet. Encadre ce groupe sujet par « c'est ....qui » ou « ce sont.........qui » et souligne-le.

1. Un gros camion transporte des sacs de ciment.
_____ ?

2. La cuvette neuve était en plastic.
_____ ?

3. Un avion a survole la ville, hier.
_____ ?

4. L'assiette est sur la table du salon.
_____ ?

Le groupe sujet peut être forme d'un seul mot.		

Le groupe sujet peut être forme d'un seul mot.

Trouve-le et cite-le dans chacun des exemples

On dit :	On dit aussi :
J'ai un livre.	C'est moi qui ai un livre. (moi replace je)
Tu as un cahier.	C'est toi qui as un cahier. (toi remplace tu)
Il a un pantalon kaki.	C'est lui qui a un pantalon kaki. (lui remplace il)
Elle a une jupe bleue.	C'est elle qui a une jupe bleue.
Nous avons des souliers.	C'est nous qui avons des souliers.
Vous avez des chaussures.	C'est vous qui avez des chaussures.
Ils ont des billes dans leurs poches.	Ce sont eux qui ont des billes dans leurs proches (eux remplace ils)
Elles ont de belles robes.	Ce sont elles qui ont de belles robes.

Les Mots je, tu, ils, elles, nous, vous, ils, elles, remplacent des noms. On les appelle « pronoms ». Les pronoms forment souvent le groupe sujet.

Pose la question « qui est-ce qui ? Ou qu'est-ce qui ? Devant le verbe pour trouver le groupe sujet. Encadre-le par « c'est…….qui » ou « ce sont …qui » et souligne-le.

1. La cuvette est légère.

2. Paul regarde le match de football.

3. Jaques saute dans le trou.

4. Gina joue à la poupée.

5. Marie a des leçons à étudier.

Trouve le groupe sujet. Encadre-le avec « c'est …qui » et remplace je, tu, il par moi, toi, lui.

1. J'écris mon devoir. _____
2. Il parle en classe. _____
3. Tu regardes au tableau. _____
4. Marie parle avec Nicole. _____
5. Nous écoutons la radio. _____
6. Elle perdu son livre. _____
7. Vous écrivez le devoir._____
8. Il ramasse ses livres._____
9. Tu as chante dans la classe._____
10. Josette téléphone à sa maman._____

Trouve le groupe sujet. Encadre-le avec « ce sont…qui » et n'oublie pas de remplacer ils par eux chaque fois que tu le rencontres.

1. Les voyageurs montent dans l'autobus.

   _____

2. Les moustiques bourdonnent dans la chambre tous les soirs.

   _____

3. Ils font leurs devoirs à la maison.

   _____

4. Les souris restant dans leurs trous à cause du chat.

   _____

5. Ils ont joue au ballon dans la cour.

   _____

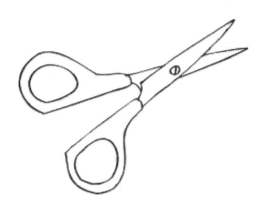

Copie les phrases en supprimant « c'est…qui » ou « ce sont…qui ». Fais les changements nécessaires.

1. C'est moi qui aime les bonbons et le chocolat.

   _____

2. C'est sont les chats qui attrapent les souris.

   _____

3. C'est vous qui choisissez les plus jolis dessins.

   _____

4. Ce sont les gendarmes qui ont arrêté le voleur lundi soir.

   _____

5. Ce sont eux qui ont achète deux sacs de riz.

   _____

Encadre le groupe sujet avec « c'est….qui ».

1. Le coton et la pite poussent vite.

2. L'âne et le mulet portent des sacs de charbon.

3. La vache et la chèvre nous donnent du lait.

4. L'autobus et las camionnette transportant beaucoup des voyageurs pour la fête.

5. Ta sœur et ton frère étudient leurs leçons chaque soir.

Remplace le groupe sujet par les pronoms suivants et fais les changements nécessaires.

Anne et Marie sont en retard.

1. Je	7. C'est moi qui
2. Nous	8. C'est nous qui
3. Tu	9. C'est toi qui
4. Vous	10. C'est vous qui
5. Elles	11. Ce sont elles qui
6. Il	12. C'est lui qui

1.
2.
3.
4.
5.
6.
7.
8.
9.
10.
11.
12.

Conjugaison

Infinitif		Indicatif					Impératif	Participe	
		Temps simple			Temps composé				
		Présent (aujourd'hui)	Imparfait	Futur (Demain)	Passé composé (Hier)	Plus-que-parfait	Présent	Présent	Passé
Avoir		J'ai Tu as Il, elle a Nous avons Vous avez Il, Elles ont	J'avais Tu avais Il, Elle avait Nous avions Vous aviez Ils, Elles avaient	J'aurai Tu auras Il, Elle aura Nous aurons Vous aurez Ils, Elles auront	J'ai eu Tu as eu Il, Elle a eu Nous avons eu Vous avez eu Ils, Elles ont eu	J'avais eu Tu avais eu Il, elle avait eu Nous avions Eu Vous aviez eu Ils, Elles avaient eu	Aie Ayons Ayez	Ayant	Eu
Etre		Je suis Tu es Il, Elle est Nous sommes Vous êtes Ils, elles sont	J'étais Tu étais Il, Elle était Nous étions Vous étiez Ils, Elles étaient	Je serai Tu seras Il, elle sera Nous serons Vous serez Ils, elles seront	J'ai été Tu as été Il, elle a été Nous avons été Vous avez été Ils, elles ont été	J'avais été Tu avais été Il, elle avait été Nous avions été Vous aviez été Ils, Elles avaient été	Sois Soyons Soyez	étant	été
Aller		Je vais Tu vas Il, elle va Nous allons Vous allez Ils, elles vont	J'allais Tu allais Il, elle allait Nous allions Vous alliez Ils, elles allaient	J'irai Tu iras Il, elle ira Nous irons Vous irez Ils, Elles iront	Je suis allé (e) Tu es allé (e) Il, Elle est allé (e) Nous sommes allés (es) Vous êtes allés (es) Ils, Elles sont allés (es)	J'étais allé (e) Tu étais allé (e) Il, Elle était allé (e) Nous étions allés (es) Vous étiez allés (es) Ils, Elles étaient allés (es)	Va Allons allez	Allant	allé

On désigne un verbe par son **infinitif** :
parl**er**, lav**er**, cir**er**, grand**ir**, fin**ir**, répond**re**.

La terminaison d'un verbe change :

Je parl**e**, nous, parl**ons**. - Tu grand**is**, vous grand**issez**. – Tu atten**ds**, elles atten**dent**.

Ex. : Lucienne regarde au tableau.   L'infinitif est : regarder.

1.   Les enfants aiment les sucreries.   _____
2.   Le cheval galope dans le champ.   _____
3.   Les mangues murissent dans les arbres.   _____
4.   Les élèves soignent leurs devoirs.   _____
5.   Ils écrivent bien.   _____
6.   Vous n'ouvrez pas les portes de la classe.   _____
7.   Elles finissent leurs travaux.   _____
8.   Nous attendons l'autobus.   _____
9.   Vous taillez vos crayons.   _____
10. Elles ramassent leurs affaires.   _____

Un Verbe peut avoir différentes formes. Ainsi le verbe chanter a les formes suivantes au présent de l'indicatif.

Je chante, tu chantes, il chante, nous chantons, vous chantez, ils chantent.

Dans un verbe, il y a deux parties :

Une partie qui né change pas, c'est le radical. (Ex. : chant)

Une partie qui change, c'est la terminaison : e, es, e, ons, ez, ent.

   a.   Je lave, tu laves, nous lavons, vous lavez.
      La terminaison change avec la personne.
   b.   Maintenant, j'écoute le maitre.
      Hier, j'ai écouté le maitre.
      Demain, j'écouterai le maitre.
      La terminaison change avec les temps.

Le temps indique à quel moment une action est faite.

Il y a le présent, le passé et le futur.

Roger travaille maintenant.

Le présent indique qu'on fait l'action maintenant.

Roger a dormi hier soir.

Le passé indique qu'on a fini de faire l'action.

Demain, Roger ira chez sa tante.

Le futur indique qu'on va faire l'action.

Présent De L'Indicatif

Avoir, Etre, Aller

Conjugue ces verbes en faisant des phrases négatives.

Avoir

1. Je n'ai pas de stylo._____
2. Je n'ai pas mal à la tête._____
3. Je n'ai pas mal au ventre. _____

_____

Etre

1. Je ne suis pas en retard aujourd'hui._____
2. Je ne suis pas dans la rue._____
3. Je ne suis pas au tableau._____

_____

Aller

1. Je ne vais pas au marché. _____
2. Je ne vais pas chez ma tante._____
3. Je ne vais pas à la rivière._____

Conjugue ces verbes en faisant des phrases interrogatives.

Mets elles à la place elle.

1. Elle a une jupe rouge. _____
2. Elle n'est pas paresseuse._____
3. Elle ne va pas au cinéma. _____
4. A-t-elle une grande sœur ?_____
5. Est-elle malade ?_____
6. Va-t-elle au marché ?_____
7. Elle ne va pas au tableau._____
8. Va-t-elle en recréation ?_____

Ecris les verbes au présent.

1. J'(avoir) mon stylo et mon cahier.
   r. _____
2. Les élèves (avoir) tous leurs livres et leurs cahiers.
   r. _____

3. Vous (être) l'heure aujourd'hui.
   r._____

4. Les murs de la classe (être) propres.
   r._____

5. Les mendiants (avoir) faim.
   r._____

6. Vous (être) en classe.
   r. _____

7. Je (aller) a ma place.
   r._____

8. Marie (aller) a sa place.

r._____

Fais des phrases interrogatives et remplace « je » par nous.

1. Je suis en classe.

r._____

2. J'ai des chaussures propres.

r._____

3. Je suis en bonne santé.

r._____

4. J'ai des livres neufs.

r._____

5. Je vais sur la cour.

r._____

6. J'ai de l'argent dans ma poche.

r._____

7. Je vais en récréation.

r._____

8. Je vais au marché le samedi.

r._____

9. Je suis près du bureau.

r._____

Coloriage magique : aller au présent

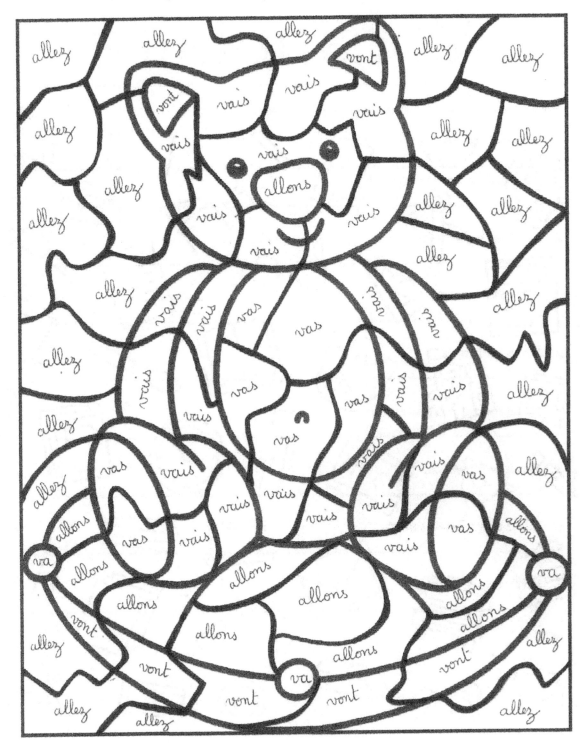

| je : marron | tu : bleu | il : vert |
| nous : rouge | vous : jaune | ils : rose |

51

Vocabulaire

Leçon 1. Le jour de la rentrée

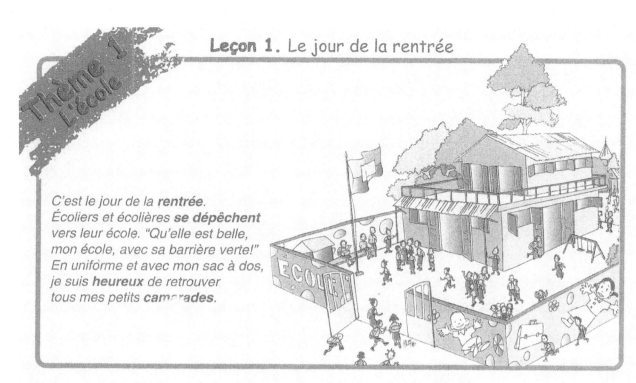

C'est le jour de la **rentrée**.
Écoliers et écolières **se dépêchent**
vers leur école. "Qu'elle est belle,
mon école, avec sa barrière verte!"
En uniforme et avec mon sac à dos,
je suis **heureux** de retrouver
tous mes petits cam~~a~~rades.

 Quelle phrase correspond au dessin?

a) Comme il pleut, les élèves **se dépêchent** vers leur école.

b) Le jour de la **rentrée**, le directeur parle dans la cour aux nouveaux élèves.

c) Mes **camarades** et moi, nous nous réunissons sous un arbre.

d) Je suis **heureux**, j'ai un beau sac à dos tout neuf.

 Réponds par vrai ou faux:

a) Quand on est en retard, il faut **se dépêcher**.

b) Le jour de la **rentrée** est le jour de Noël.

c) Dans la cour de l'école, je rencontre mes **camarades**.

d) J'ai de bonnes notes dans mon carnet, je suis **heureux**.

 Quelle est la bonne réponse?

a) Le jour de la rentrée c'est :
le premier jour de la semaine.
le premier jour de classe après les vacances.
le premier jour de l'année.

b) Se dépêcher c'est :
aller vite, se presser.
aller pêcher du poisson.
aller cueillir des pêches.

c) Des camarades sont :
des personnes qui ne se parlent jamais.
des personnes qui ne se connaissent pas.
des personnes qui jouent, travaillent
ou vont en classe ensemble.

d) Être heureux c'est:
être à l'heure.
être très content.
être très sérieux.

Trouve un mot ou un groupe de mots de l'étiquette qui veut dire la même chose que le mot en gras.

> font vite – amis – content – premier jour de classe

a) C'est le jour de la **rentrée**, c'est le —————————————.
b) Accompagnés de leur maman, les petits **se dépêchent**, ils ——————————.
c) Je revois avec plaisir tous mes **camarades**, mes ——————————.
d) Je suis **heureux** d'être dans cette école, je suis ——————————.

 Les fournitures scolaires sont les objets dont les élèves se servent pour leur travail. Trouve dans la liste 5 fournitures scolaires.

une montre – un livre – un plumier – un ballon – un cahier – un crayon – une gomme

 Complète chaque phrase avec un mot de l'étiquette.

> école – écolier – écolière – scolaire

a) Jean est un ——————, Lili est une ——————.
b) Les enfants vont à l'—————— pendant l'année ——————.

 Trouve le sens de l'expression.

> Livres de seconde main

a) Des livres neufs.
b) Des livres qui ne sont pas neufs.
c) Des livres faits à la main.

 Complète chaque phrase avec un des mots en gras de l'exercice 1.
a) Pour ne pas arriver en retard, les écoliers ——————.
b) Dans la cour, je joue au ballon avec mes ——————.
c) Maître Alfred est gentil, nous sommes —————— d'être dans sa classe.
d) Certains écoliers de première année pleurent le jour de la ——————.

 Le sais-tu?

Qui veut juin, prépare octobre.
Maîtres et parents répètent souvent cette phrase.
Cela veut dire que le temps passe vite, très vite.
Aussi, tu dois commencer à bien travailler dès la rentrée
si tu veux réussir aux examens de passage en juin.
À vous tous, petits écoliers, **Bonne Année scolaire!**

Port-au-Prince, le 12 octobre

Chère Caroline,

Je t'écris pour te dire que tu nous manques beaucoup depuis la rentrée. Cette année notre classe est de couleur vert pâle. Elle est grande et claire. Des images en couleur ornent les murs. Les bancs des élèves sont disposés deux par deux. Je suis assise à la deuxième rangée. Au fond il y a un buffet où le maître dépose les cahiers.

Dépêche-toi de m'écrire pour me dire si tu es heureuse dans ta nouvelle école et si tes camarades sont gentils.

Grosses bises Magalie

Quelle phrase correspond au dessin?

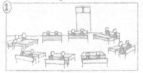   

a) De jolis nœuds **ornent** les cheveux des écolières.
b) Grâce aux deux grandes fenêtres, ma classe est **claire**.
c) Les élèves aiment regarder les **images** de leurs livres.
d) Dans la classe de 1ʳᵉ année, les bancs sont **disposés** en cercle.

Relie les deux bouts de phrases qui vont ensemble.

a) Ma classe est **claire**,
b) On y voit de belles **images**,
c) Les élèves **ornent** le bureau du professeur,
d) Les bancs sont bien **disposés**,

• des dessins, des portraits, des illustrations.
• ils le décorent avec de jolies fleurs.
• en deux rangées et deux colonnes.
• car la lumière du jour entre par ses fenêtres.

Quelle est la bonne réponse?

a) *Orner* c'est:
 tout mettre en ordre.
 acheter des bijoux en or.
 décorer, rendre plus beau.

b) *Une salle claire* c'est:
 une salle d'où l'on peut voir les éclairs.
 une salle qui reçoit de la lumière.
 une salle qui a une seule porte.

c) *Une image* c'est :
 un dessin, une illustration.
 une page de mon cahier de dessin.
 la couverture de mon livre de sciences.

d) *Disposer* c'est :
 arranger, mettre dans un certain ordre.
 perdre connaissance, être indisposé.
 prendre un peu de repos.

Complète les phrases avec un des mots suivants.

> claire – disposés – ornent – images

a) Trois lots de cahiers sont ——————— sur les étagères du buffet.
b) De beaux dessins ——————— les murs à l'entrée de l'école.
c) Mon camarade a collé deux petites ——————— sur la couverture de son cahier.
d) Dépêche-toi d'ouvrir les fenêtres, la salle n'est pas assez———————.

 Trouve dans chaque phrase un mot qui ressemble au mot en gras.

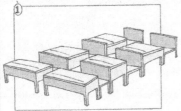 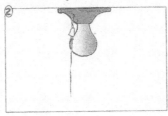 

Orner : De belles plantes sont des ornements pour la maison.

Disposé : J'aime la disposition des bancs dans cette classe.

Clair : L'ampoule de ma chambre donne un bon éclairage.

 Trouve un nom de la 1re colonne qui va avec un verbe de la 2e colonne.

classement	accompagner
éclairage	éclairer
arrangement	classer
compagnon	arranger

 Quel est le sens de l'expression?

> Un enfant sage comme une image

a) Un enfant très doux, très calme, très tranquille.
b) Un enfant qui aime regarder des images.
c) Un enfant qui sait dessiner de belles images.

 Complète chaque phrase avec un des mots en gras de l'exercice 1.

a) Dans ma classe, les bancs sont ——————— sur trois rangées.
b) J'aime regarder les ——————— en couleur de mon livre de sciences.
c) Cette salle est ———————, car une porte et deux fenêtres laissent passer la lumière.
d) Les élèves ——————— la classe avec des ballons, car c'est la fête du professeur.

Leçon 3. La récréation

*C'est la **récréation**. Que la cour est **bruyante**! Les écoliers **se dispersent**, poussent des cris, s'amusent follement.*

"Nous allons jouer au football, dit Léa, quatre contre quatre. Guy est avec moi.

– Je joue! crient en même temps Hervé et Rosette.

– Léon, tu es dans notre équipe? demande Guerline.

*– Non, je ne joue pas, je vais manger. J'ai promis à Rita de **partager** mon repas avec elle."*

 Quelle phrase correspond au dessin?

a) Les élèves jouent au football pendant la **récréation**, et la cour est **bruyante**.

b) Léon est heureux de **partager** son sandwich avec Rita.

c) Dans la cour, les élèves **se dispersent**, partent dans tous les sens.

 Relie les deux bouts de phrases qui vont ensemble.

a) Une cour **bruyante**   • est un moment où les élèves jouent, se détendent.

b) La **récréation**   • est animée, pleine de bruit.

c) **Partager**   • c'est partir chacun de son côté.

d) **Se disperser**   • c'est diviser ce qu'on a pour en donner une partie.

Trouve la bonne réponse.

a) *Les gens **se dispersent** :*

ils dépensent tout leur argent – ils se dépêchent – ils vont dans tous les sens.

b) *La cour est **bruyante** :*

elle est claire – elle est animée, pleine de bruit – elle est ornée de fleurs.

c) *On prend une **récréation** :*

pour s'amuser – pour travailler – pour dormir.

d) ***Partager** c'est :*

partir en voyage – participer à un jeu – diviser, séparer en plusieurs parts.

Complète chaque phrase avec un des mots suivants.

> se dispersent – récréation – partager – bruyante

a) Jean et Lili s'amusent sur la balançoire pendant la ————————.
b) Après la classe, les élèves ———————— dans la rue.
c) On ne peut pas bien suivre la maîtresse si la classe est ———————— .
d) Je vais ———————— mon gâteau d'anniversaire avec mes camarades.

Complète chaque phrase avec un des mots de la liste.

footballeur – coupe – coéquipiers

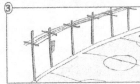

a) Manno Sanon est un célèbre ———————— haïtien.
b) Les joueurs qui sont dans une même équipe sont des ———————— .
c) L'équipe qui a gagné, l'équipe victorieuse reçoit la ———————— .

Observe les dessins, puis trouve le mot qui convient pour chaque phrase.

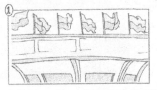

> disposés – ornés – coéquipiers

a) Ronald, le numéro 10, a marqué un but, il est heureux, ses ———————— le félicitent.
b) Des poteaux électriques sont placés, sont ———————— tout autour du terrain.
c) Les murs du stade sont décorés, sont ———————— de grands drapeaux.

Trouve le sens de l'expression.

> C'est un jeu d'enfant.

a) C'est une poupée avec de grands yeux.
b) C'est une chose très simple, très facile à faire.
c) C'est un cerf-volant de plusieurs couleurs.

Complète chaque phrase avec un des mots en gras de l'exercice 1.
a) Les enfants jouent dans la cour pendant la ———————— .
b) La foule qui assiste au match s'excite et devient————————.
c) Après la fin du match, les spectateurs ———————— dans les rues.
d) Je vais ———————— un sachet de bonbons avec mon petit frère.

Orthographe

Préparation à la dictée

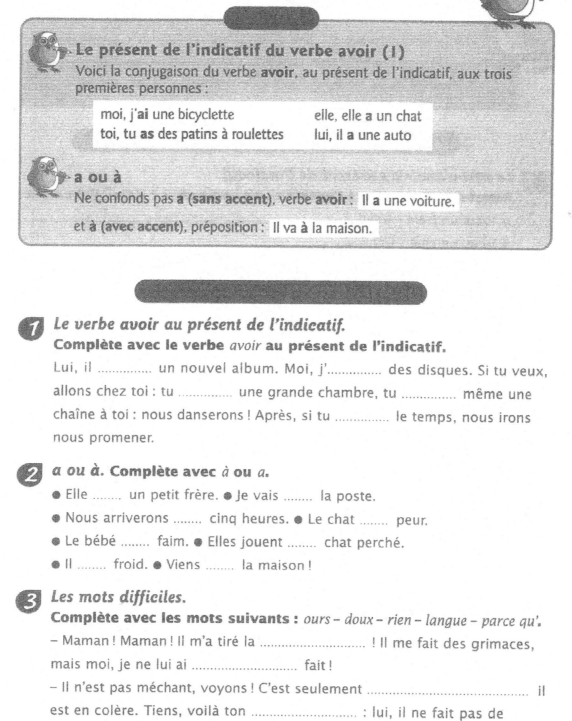

Le présent de l'indicatif du verbe avoir (1)

Voici la conjugaison du verbe **avoir**, au présent de l'indicatif, aux trois premières personnes :

moi, j'**ai** une bicyclette	elle, elle **a** un chat
toi, tu **as** des patins à roulettes	lui, il **a** une auto

a ou à

Ne confonds pas **a (sans accent)**, verbe **avoir** : Il **a** une voiture.

et **à (avec accent)**, préposition : Il va **à** la maison.

---

1 *Le verbe avoir au présent de l'indicatif.*
Complète avec le verbe *avoir* **au présent de l'indicatif.**

Lui, il .... un nouvel album. Moi, j'.............. des disques. Si tu veux, allons chez toi : tu .... une grande chambre, tu .... même une chaîne à toi : nous danserons ! Après, si tu .... le temps, nous irons nous promener.

2 *a ou à.* **Complète avec** *à* **ou** *a.*
- Elle .... un petit frère. ● Je vais .... la poste.
- Nous arriverons .... cinq heures. ● Le chat .... peur.
- Le bébé .... faim. ● Elles jouent .... chat perché.
- Il .... froid. ● Viens .... la maison !

3 *Les mots difficiles.*
Complète avec les mots suivants : *ours – doux – rien – langue – parce qu'.*

– Maman ! Maman ! Il m'a tiré la .... ! Il me fait des grimaces, mais moi, je ne lui ai .... fait !

– Il n'est pas méchant, voyons ! C'est seulement .... il est en colère. Tiens, voilà ton .... : lui, il ne fait pas de grimaces ; il est .... et très gentil.

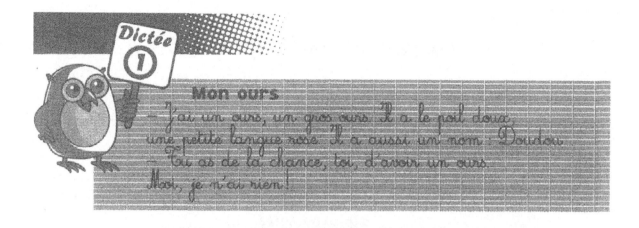

Mon ours

— J'ai un ours, un gros ours. Il a le poil doux, une petite langue rose. Il a aussi un nom : Doudou
— Tu as de la chance, toi, d'avoir un ours. Moi, je n'ai rien !

4 *Le verbe avoir au présent de l'indicatif.*
Réponds, comme dans l'exemple : Tu as un ours ? – Oui, j'ai un ours.

● Tu as un frère ? – Oui, j'..

● Tu as un chat ? – Oui, j'..

● Tu as un ami ? – ....

● Tu as une petite maison ? – ....

Pose une question, comme dans l'exemple :
J'ai un frère – As-tu un frère ?

● J'ai un ours. – ....

● J'ai une maison. – ....

● J'ai un jardin. – ....

● J'ai de la chance. – ....

5 *a ou à.* **Cherche dans la dictée les phrases où a (verbe avoir)**
est utilisé. Recopie-les.

....

....

....

....

Dictée non préparée | **Et toi ?**

— Mon, j'ai un chat noir et un chat blanc. J'ai une tortue et j'ai aussi un lapin. Et toi ? Tu as un chien ; tu as un coq dans ta cour ?
— Ton pauvre ami, il n'a même pas de maison à lui !

61

La ronde de l'alphabet

Pour écris en français, on utilise les lettres suivants

a,b,c,d,e,f,g,h,i,j,k,l,m,n,o,p,q,r,s,t,u,v,w,x,y,z,

A,B,C,D,E,F,G,H,I,J,K,L,M,N,O,P,Q,R,S,T,U,V,W,X,Y,Z

Ces lettres forment l'alphabet; elles sont ici classes par ordre alphabétique.

Parmi les 26 lettres de l'alphabet français, on distingue :

6 voyelles : a, e, i, o, u, y ;

20 consonnes : b, c, d, f, g, h, j, k, l, m, n, p, q, r, s, t, v, w, x, z

1. Classe chaque groupe de lettres par ordre alphabétique
   a) b , i , e , h , m , g , a _____   c) n , l , r , j , o , s , p_____
   b) u , r , v , o , x , y , t _____   d) g , p , a , k , z , s , b_____

2. Classe les mots de chaque groupe en deux colonnes, selon qu'ils commencent par une voyelle ou par une consonne.

   a) Carotte, laite, aubergine, haricot, tomate, mais, légume, igname, giraumon

Voyelle	Consonne

   b) Riz, échalote, blé, orange, mirliton, papaye, mangue, ananas, banane, épinard

Voyelle	Consonne

Classe chaque groupe de prénoms suivants l'ordre alphabétique.

a) Wesley, Darline , Flore , Laurent , Anne

b) Karine, Orlane , Sandra , Harry , Bertho

c) Jose, Robert, Martine, Cédric , Nerline

d) Ursule, Enold, Xavier, Paula, Vania

Les 6 voyelles sont _____ _____ _____ _____ _____ _____

Préparation à la dictée

 Le présent de l'indicatif du verbe être (1)

Voici la conjugaison du verbe être au présent de l'indicatif, aux trois premières personnes :

| je **suis** | tu **es** | il **est** | elle **est** |

 La dernière lettre d'un mot

Parfois, on entend la **dernière lettre** du mot à écrire :

le fils – la cité – partir – cher.

Attention ! Dans certains mots, la **lettre finale** est **muette** :

le loup (**p** ne s'entend pas) – doux (**x** ne s'entend pas).

Exercices de préparation

1 *Le verbe être au présent de l'indicatif.* **Complète ces phrases en conjuguant le verbe être au présent de l'indicatif.**

● Le mouton .... dans le pré. ● Tu .... toujours contente.

● Je .... arrivée à l'école. ● Il .... bien habillé.

2 *La dernière lettre d'un mot.*
Complète avec le masculin des adjectifs.
Une grosse dame – Un gros monsieur.

● Une grande boîte. – Un .... coffre.

● Une chatte noire. – Un chat ....

● Elle est petite. – Il est ....

3 *Les mots difficiles.*
Complète avec les mots suivants : *loup – nez – coq – où – sûr – à.*

● Ce chien a des oreilles si pointues, des dents si longues, un .... si fin, qu'il ressemble à un ....

● Dans la basse-cour de la ferme, il y a un .... et tous les matins, ... cinq heures, il chante « Cocorico ! ».

● « Caroline, ... es-tu ? demande papa. Je suis .... que tu t'es, encore une fois, cachée dans le placard. »

64

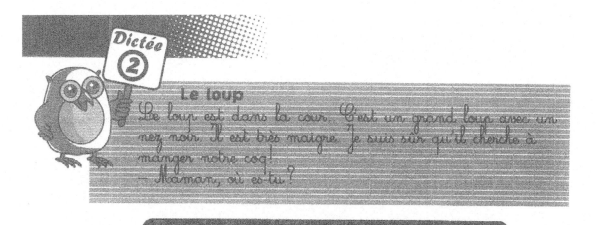

Dictée ②

Le loup

Le loup est dans la cour. C'est un grand loup avec un nez noir. Il est très maigre. Je suis sûr qu'il cherche à manger notre coq !
— Maman, où es-tu ?

4 *La dernière lettre d'un mot.*
Lis chaque mot ou groupe de mots à haute voix et regarde la dernière lettre. Souligne-la en bleu si elle s'entend, en rouge si elle ne s'entend pas.

● noir ● coq ● grand ● doux ● tu es ● sûr ● elle est ● avec ● petit
● le chat ● le nom ● la maison.

5 *Le verbe être au présent de l'indicatif.*
Complète avec le verbe être au présent de l'indicatif.

– Ton frère ? Je me demande où il .... ! On .... sans cesse obligé de le chercher ! Toi, au moins, tu .... sage ! On sait toujours où tu .... À propos, si tu veux jouer avec Marie, tu peux aller jusqu'au jardin : je .... sûre qu'elle .... sur la grande pelouse !

6 *L'alphabet.*
Entoure les trois mots qui commencent par la lettre a.

avion   bille   ballon   enfant

trésor   auto

vélo   abeille

Dictée non préparée	Qui est-il ?

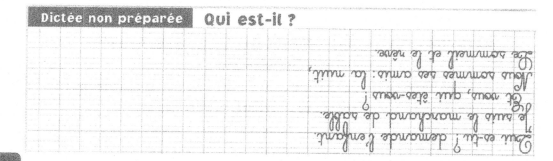

2 Les syllabes

J'observe...

ca chi man
1 2 3

bal lon
1 2

Cachiman a 3 syllabes, ballon a 2 syllabes.

Peut-on couper ce mot ?

sac

Voyons, c'est impossible ! Il se prononce d'un trait.

Je comprends

- Chaque son que l'on entend lorsqu'on prononce un mot s'appelle **syllabe**. Un mot est composé d'une ou de plusieurs syllabes.

  Ex. : dent, ge - nou, é - pau - le.

- À la fin d'une ligne, un mot se coupe entre deux syllabes. On ajoute alors un tiret.

  Ex. :

  Le mécanicien a répa-
  ré le camion.

  ou

  Le mécanicien a ré-
  paré le camion.

- Si le mot a une consonne double ou deux consonnes différentes qui se suivent, on le coupe entre les deux consonnes.

  Ex. : clas - se, gom - me ; cal - cul, car - ton.

Je m'entraîne

1 **Sépare les syllabes dans les mots suivants. Est-ce toujours possible ?**

a) cheveu	b) tête	c) pouce	d) cerise	e) ananas	f) orange
ventre	nez	dent	abricot	cachiman	banane
bouche	cou	barbe	tamarin	grenade	avocat

2 **Réécris les mots en les coupant comme si tu devais les écrire en fin de ligne.**
Ex. : clas - se.

a) serpent	b) cabri	c) animal	d) chenille	e) libellule	f) canard
poisson	cheval	anolis	colibri	éléphant	agneau
oiseau	vache	papillon	bourrique	coccinelle	tortue

3 **Trouve deux manières de couper ces mots en fin de ligne.**
Ex. : vil - lage / villa - ge, pro - priété / proprié - té.

a) professeur	b) lecture	c) récréation	d) soustraction	e) multiplication	f) addition
directeur	école	discipline	mathématique	géographie	syllabe

Je m'évalue...

Trouve toutes les façons possibles de couper les mots suivants à la fin d'une ligne.
intelligent - amusant - malade - intéressant.

Préparation à la dictée

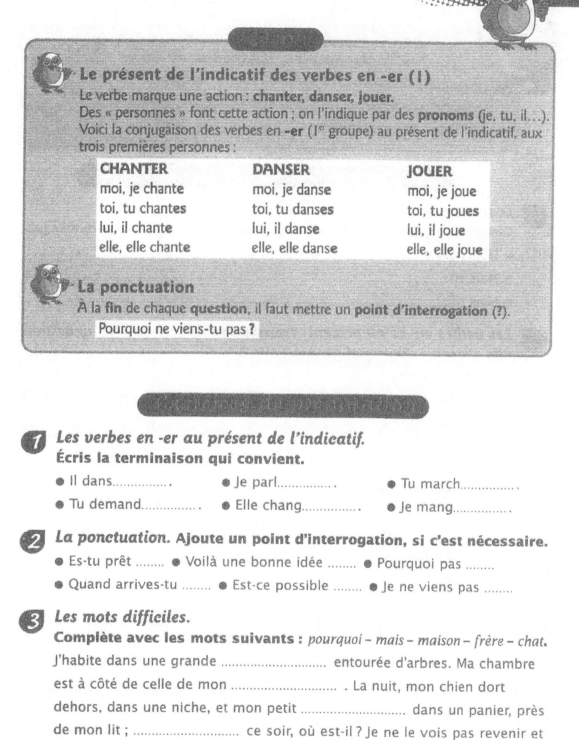

Dictée ③

Le présent de l'indicatif des verbes en -er (1)

Le verbe marque une action : **chanter, danser, jouer.**
Des « personnes » font cette action ; on l'indique par des **pronoms** (je, tu, il...).
Voici la conjugaison des verbes en **-er** (1er groupe) au présent de l'indicatif, aux trois premières personnes :

CHANTER	DANSER	JOUER
moi, je chante	moi, je danse	moi, je joue
toi, tu chantes	toi, tu danses	toi, tu joues
lui, il chante	lui, il danse	lui, il joue
elle, elle chante	elle, elle danse	elle, elle joue

La ponctuation

À la **fin** de chaque **question**, il faut mettre un **point d'interrogation (?).**

Pourquoi ne viens-tu pas **?**

---

1 *Les verbes en -er au présent de l'indicatif.*
Écris la terminaison qui convient.

- Il dans............. .
- Je parl.............. .
- Tu march.............. .
- Tu demand.............. .
- Elle chang.............. .
- Je mang.............. .

2 *La ponctuation.* **Ajoute un point d'interrogation, si c'est nécessaire.**

- Es-tu prêt ....
- Voilà une bonne idée ....
- Pourquoi pas ....
- Quand arrives-tu ....
- Est-ce possible ....
- Je ne viens pas ....

3 *Les mots difficiles.*
Complète avec les mots suivants : *pourquoi – mais – maison – frère – chat.*

J'habite dans une grande .... entourée d'arbres. Ma chambre est à côté de celle de mon .... La nuit, mon chien dort dehors, dans une niche, et mon petit .... dans un panier, près de mon lit ; .... ce soir, où est-il ? Je ne le vois pas revenir et je me demande .... il n'est pas là.

67

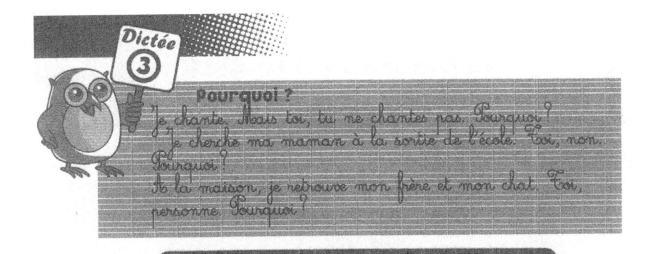

Dictée ③

Pourquoi ?

Je chante. Mais toi, tu ne chantes pas. Pourquoi ?
Je cherche ma maman à la sortie de l'école. Toi, non.
Pourquoi ?
À la maison, je retrouve mon frère et mon chat. Toi,
personne. Pourquoi ?

4 **Les verbes en -er au présent.**
Complète les phrases, comme dans l'exemple : Mais lui, il ne chante pas.

- Mais moi, ...
- Mais elle, ...
- Mais toi, ...

5 **Les verbes en -er au présent. Transforme ces phrases en questions :**
Elle chante. – Pourquoi chante-t-elle ?

- Tu cherches ta maman. ....
- Elle se promène souvent. ....
- Il regarde son chat. ....
- Il joue dans la cour. ....
- Il cache son ballon. ....

Transforme ces phrases, comme dans l'exemple :
Je marche. – Non, je ne marche pas.

- Elle chante. – Non, ...
- Tu aimes jouer. – ....
- Tu regardes la télé. – ....
- Elle parle fort. – ....

Dictée non préparée **On joue**

J'aime bien les fêtes. On danse, on chante, on joue. On monte sur
la grande roue qui tourne. On écoute de la musique. Mon frère,
lui, préfère jouer avec sa machine.
– Tu restes à la maison, alors ? Alors, au revoir !

68

3 Je sais séparer les mots

J'observe...

Martinedonneunecarotteaulapin

> Mais, tu as oublié qu'il faut séparer les mots ?

Je comprends

Avec des mots, on forme des **phrases**. Quand on parle, les mots semblent attachés les uns aux autres.

Ex. : *Mariedonneunecarotteaulapin.*

Mais à l'écrit, les mots sont séparés entre eux par des espaces.

Ex. : *Marie donne une carotte au lapin.*

Je m'entraîne

1 Relie les phrases entendues aux phrases convenablement écrites.

Ex. :
1- Lesenfantsregardentlatélé.
2- Lesenfantsjouentauxbilles.
3- Lesenfantsserendentàlaplage.
4- Lesenfantsvontàl'école.
5- Lepetitoiseauesttrèsintelligent.
6- Lepetitoiseaupicoredesgrains.
7- Lepetitoiseauchantebien.
8- Lepetitoiseauvolevite.

a- Les enfants se rendent à la plage.
b- Les enfants regardent la télé.
c- Les enfants vont à l'école.
d- Les enfants jouent aux billes.
e- Le petit oiseau picore des grains.
f- Le petit oiseau vole vite.
g- Le petit oiseau est très intelligent.
h- Le petit oiseau chante bien.

2 Réécris ce texte en séparant correctement les mots.

Unedécouverte

Mesamis et moiaimons grimperauxarbres.

Unjour, nousavonsdécouvert, surunebranche, unadorable petitoiseau. Qu'ilétaitbeau danssonnid, avecsesœufs toutautour ! Toutdoucement, noussommesdescendus del'arbre.

Je m'évalue...

Écris une phrase en séparant convenablement les mots.

Préparation à la dictée

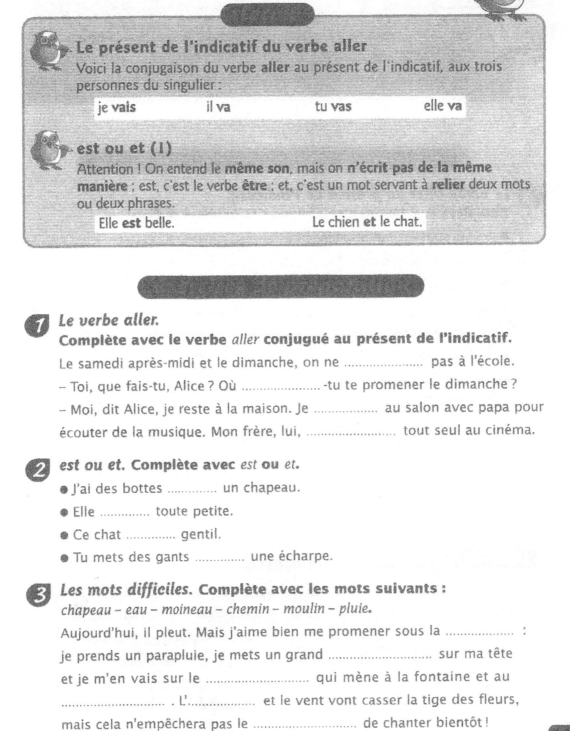

Le présent de l'indicatif du verbe aller

Voici la conjugaison du verbe **aller** au présent de l'indicatif, aux trois personnes du singulier :

| je **vais** | il **va** | tu **vas** | elle **va** |

est ou et (1)

Attention ! On entend le **même son**, mais on **n'écrit pas de la même manière** ; est, c'est le verbe **être** ; et, c'est un mot servant à **relier** deux mots ou deux phrases.

| Elle **est** belle. | Le chien **et** le chat. |

1 *Le verbe aller.*
Complète avec le verbe *aller* **conjugué au présent de l'indicatif.**

Le samedi après-midi et le dimanche, on ne .... pas à l'école.

– Toi, que fais-tu, Alice ? Où .... -tu te promener le dimanche ?

– Moi, dit Alice, je reste à la maison. Je .... au salon avec papa pour écouter de la musique. Mon frère, lui, ... tout seul au cinéma.

2 *est ou et.* **Complète avec** *est* **ou** *et.*

● J'ai des bottes .... un chapeau.

● Elle .... toute petite.

● Ce chat .... gentil.

● Tu mets des gants .... une écharpe.

3 *Les mots difficiles.* **Complète avec les mots suivants :**
chapeau – eau – moineau – chemin – moulin – pluie.

Aujourd'hui, il pleut. Mais j'aime bien me promener sous la .... :

je prends un parapluie, je mets un grand .... sur ma tête

et je m'en vais sur le .... qui mène à la fontaine et au

.... L'................. et le vent vont casser la tige des fleurs,

mais cela n'empêchera pas le .... de chanter bientôt !

Sous la pluie

Je vais souvent me promener sous la pluie. Avec des bottes et un chapeau de pluie. Je regarde l'eau du chemin, elle va jusqu'au moulin.
— Mais toi, pauvre moineau, où vas-tu ?

4 *Le verbe aller au présent de l'indicatif.*
Complète ces phrases en utilisant le pronom indiqué.

● Je vais souvent me promener. Tu ....

● Elle va jusqu'au moulin. Je ....

● Où vas-tu ? Où .... -t-elle ?

Transforme ces phrases, comme dans l'exemple :
Je vais au marché. – Non, je ne vais pas au marché.

● Il va au cinéma. – ....

● Elle va en classe. – ....

● Tu vas plus loin. – ....

5 *est ou et ?* **Complète les phrases en utilisant est ou et.**

● Le garçon .... vraiment grand. ● Le frère .... la sœur sont blonds. ● J'ai pris un dessert .... du fromage. ● L'oiseau .... très beau.

Dictée non préparée	Au magasin

— Maman, je vais au magasin.
— Que vas-tu acheter, chérie ?
— Je vais acheter des jouets, beaucoup de jouets pour moi !
Maman Marine s'amuse en la regardant partir.
— Il va au magasin, mais sans argent, j'ai su mettre et je vais cacher les sous qui sont dans sa poche !

Lecture

Adieu Les Vacances

Depuis deux mois l'école est fermée. La cour est silencieuse et, dans les grandes arbres qui l'ombragent. Les oiseaux one pu tranquillement faire leurs nids.

Bientôt l'école ouvrira ses portes. Pendant les vacances on a blanchi ses murs et repeint ses fenêtres.   Des tables neuves, a deux places avec dossier, ont remplacé les longues et vielles tables tachées d'encre, ou l'on était si mal assis.

Il va falloir rependre le chemin de l'école rouvrir ses livres, obéir au maitre, être attentif à ses explications tenir sa langue.

Finies les flâneries au bord de la rivière ! Finies les parties de pêche ! Finie la chasse dans les bois ! Finies les longues promenades à travers nos campagnes !

Les vacances sont terminées, aujourd'hui commence le travail. Sois courageux, petit écolier, ne crains pas ta peine ! Si demain tu veux être un homme, des maintenant sois bon école.

73

ADIEU LES VACANCES

Observe bien l'image :

1. Dis ce que tu vois en peu de mot.

....

2. Combien de paragraphe comprenant le texte ?

....

3. Quel est le titre du texte ?

....

4. Pourquoi la cour est-elle silencieuse depuis deux mois ?

La cour est ....

5. par quoi a-t-on remplacé les vieilles tables ?

On a remplacé...

6. Si, plus tard, je veux être un homme, que dois-je faire dès aujourd'hui ?

Dès aujourd'hui, je ....

7. Ou avez-vous passé vos vacances ?

J'ai passé mes vacances ....

8. Les oiseaux aussi ont profité des vacances, qu'ont-ils fait ?

Ils ont fait ....

Je complète les phrases en cherchant les mots dans la lecture.

9. Pendant les vacances, l'école est .... La cour est ....

Maintenant, il va falloir .... le chemin de l'école, rouvrir ses ....

Etre attentif aux ...., tenir sa ....

10. Nommez deux défauts d'un mauvais écolier dans la cour.

....

En Route Pour L'Ecole

La rue et pleine de bruits en ce premier matin d'octobre. Ecoliers et écoliers s'en vont joyeux et babillards, vers le bâtiment d'école ou on nouveau maitre, tout souriant, les attend sure le seuil de la classe.

Ils marchent sagement sur les trottoirs sure les trottoirs : Ils sont en sécurité. Dans la rue, il faut faire attention aux automobiles.

Les mamans suivent des yeux petits nouveaux qui quittent la maison pour la première fois. Elles ne sont pas inquiètes, car grands frères et grandes sœurs, qui tiennent par la main, ont promis de veiller sur ces chers petits.

Il sera bientôt huit heures. Depuis longtemps la ville est éveillée. Les boutiquiers sont à leur comptoir. Assis devant leurs étalages, les marchands de pain attendent les clients. Jaques, le forgeron, fait chanter son enclume. Pierre, le menuisier, rabote en sifflant. Partout c'est la vie, le travail et la joie.

En route pour l'école

Observe bien l'image :

1. Dis ce que tu vois en peu de mot.

....

2. Combien de paragraphe comprenant le texte ?

....

3. Quel est le titre du texte ?

....

4. Où se tiennent les boutiquiers

Les boutiquiers ....

5. que font les marchands de pain ?

Les marchands de pain ....

6. que fait le menuisier Pierre ?

Le menuisier

....

7. Quel jour a eu lieu la rentrée des classes ?

La rentrée des classes a eu ....

8. Que remarquait-on de particulier ce jour-là dans les rues de la ville ?

....

9. Où se rendaient tous ces enfants ?

....

10. Qui les attendait sur le seuil de la classe ?

....

11. Cette année avez-vous un nouveau maitre ?

12. Je complète cette phrase. Les mamans .... des yeux les petits nouveaux qui
.... La maison.

Ma Classe

C'est une grande salle, toute blanche, avec quatre larges fenêtres et une porte en chêne verni, un des plus beaux bois de nos forêts.

En face des tables, toujours bien alignées, se dresse le bureau de maitre, place sur une petite estrade. Derrière, un large tableau noir en bois court sur toute la longueur du mur. Des gravures ornent les murs. Elles représentent des fleurs, des fruits, des animaux, des paysages ; leurs couleurs vives réjouissent les yeux.

Notre classe est toujours propre : pas de papiers dur le sol, pas de taches d'encre sur les tables. Chaque vendredi, après la sortie, on balaie la salle, on époussette les tables, on met chaque chose a sa place.

Comme il est agréable d'entrer le matin dans une classe propre et bien éclairée !

Ma classe

1. Que voyez-vous sur le mur qui est en face de vous ?

Sur qui est _____

2. Comment est le tableau ? Où est-il placé ?

Le tableau _____

3. Pourquoi votre classe est-elle toujours propre ?

Notre classe est _____

4. Votre école a combien de classes ?

_____

5. Dans quelle classe êtes-vous ?

_____

6. Devant la classe y a-t-il une galerie ?

_____

7. Le sol est-il recouvert en ciment ?

_____

8. Votre casier est-il en ordre ?

_____

9. Ou jetez-vous les papiers ?

_____

Je cherche le mot qui convient :

10. Une petite table est une _____

11- Un petit mur est un _____

12. Une petite fille est une _____

Ma Journée D'Ecolier

Chaque jour, nous avons cinq heures de classe : trois heures dans la matinée et deux heures dans l'après-midi. Le matin, a huit heures, au signal du directeur, nous nous alignons devant les classes. A onze heures, nous retournons à la maison. L'après-midi, nous rentrons à deux heures. A quatre heures, nous reprenons le chemin de notre foyer.

C'est fatigant, quand on a huit ans, de rester immobile pendant de longues heures ! Aussi, dans la matinée, comme dans l'après-midi, nous avons une recréation pour nous per mettre de nous dégourdir les jambes, de croquer un bonbon et de crier à notre aise.

Le matin, en entrant, nous étudions la morale, puis viennent la lecture, la dictée, la grammaire. Apres la recréation, c'est la difficile leçon de calcul avec ses méchants problèmes que nous ne comprenons pas toujours.

L'après-midi, nous reprenons les mêmes exercices. La leçon de gymnastique termine notre journée. C'est la plus intéressante. Nous marchons, nous courons, nous revenons en classe en chantant.

MA JOURNEE D'ECOLIER

Observe bien l'image :

1. Dis ce que tu vois en peu de mot.

....

2. Combien de paragraphe comprenant le texte ?

....

3. Quel est le titre du texte ?

....

4. Que faites-vous lorsque le maitre sonne la fin de la recréation ?

Lorsque le maitre sonne ....

5. Par quelle leçon commence la classe le matin ?

Le matin, la classe ....

6. Le soir, à quelle heure retournez-vous à la maison ?

Le soir, nous retournons ....

7. Quels jours allez-vous en classe ?

....

8. Quel jour avez-vous congé ?

....

9. Allez-vous en classe le dimanche ?

....

10. Que faites-vous ce jour-là ?

....

11. En arrivant en classe le matin, que fait l'enfant poli ?

....

12. A quel moment se donne la leçon de gymnastique ?

Elocution

la classe

1- Un/Le tableau
2- Un/Le sac
3- Un/Le livre
4- Un/Le cahier
5- Un/Le globe

6- Un/Le crayon
7- Un/Le dictionnaire
8- Un/Le professeur
9- Un/Le plumier
10- Un/Le calendrier

11- Un/L'élève
12- Un/L'uniforme
13- Un/Le rapporteur
14- Un/Le taille-crayon
15- Un/Le bâton de craie

16- Un/Le crochet
17- Un/Le compas
18- Un/Le stylo-bille
19- Une/La porte
20- Une/La poubelle

21- Une/L'affiche
22- Une/La brosse à effacer
23- Une/La chemise
24- Une/L'équerre
25- Une/La règle

32

31

30

29 28

27

26

25

24

23

22

21

18

17

19

20

26- Une/La carte
géographique
27- Une/La gomme
28- Une/La serrure
29- Une/La clé
30- Une/L'ardoise
31- Une/L'élève
32- Une/La cloche

Mots supplémentaires: Ouvert • Fermé • Montrer • Pointer du doigt • Ecrire • Additionner • Suivre • Ecouter • Regarder • Assis • Assise • Debout • Un/Le sous-main • Un/Le pupitre • Un/Le banc • Un/Le noeud • Un/Le mur • Un/Le plafond • Un/Le crucifix • Un/Le maître • Une/La croix • Un/Le garçon • Une/La fille • Un/L'ami • Une/L'addition • Un/Le signe • Une/La feuille de papier • Une/La mappemonde •

La classe

Accompagne chaque nom d'un adjectif ou d'un autre nom pour former un groupe nom.

Accompagne chaque nom d'un adjectif ou d'un autre nom pour former un groupe nom.

Exemples : Un joli calendrier --- Le professeur de la classe

L'uniforme _____

L'affiche _____

Le rapporteur _____

Le compas _____

La gomme _____

Le nœud _____

La taille –crayon _____

Le globe _____

Le crochet _____

La brosse _____

La serrure _____

Le plafond _____

Le stylo-bille _____

Le dictionnaire _____

La poubelle _____

L'équerre _____

La phrase

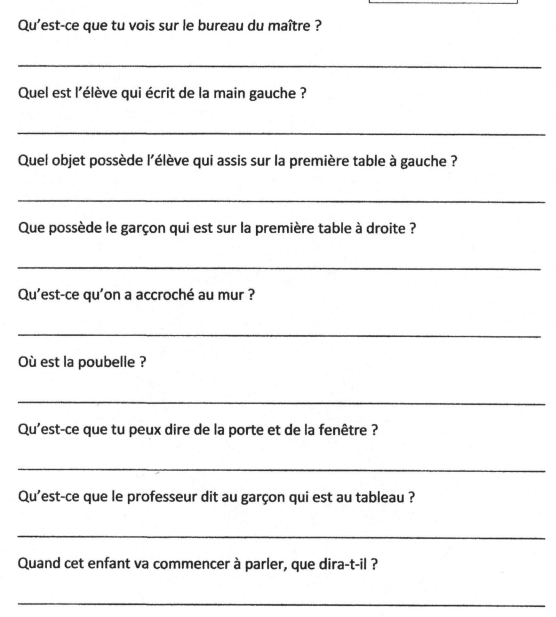

Cite les objets que tu vois dans la classe.

Observe l'image et réponds.

Qu'est-ce que tu vois sur le bureau du maître ?

_____

Quel est l'élève qui écrit de la main gauche ?

_____

Quel objet possède l'élève qui assis sur la première table à gauche ?

_____

Que possède le garçon qui est sur la première table à droite ?

_____

Qu'est-ce qu'on a accroché au mur ?

_____

Où est la poubelle ?

_____

Qu'est-ce que tu peux dire de la porte et de la fenêtre ?

_____

Qu'est-ce que le professeur dit au garçon qui est au tableau ?

_____

Quand cet enfant va commencer à parler, que dira-t-il ?

_____

1. En silence on se met en rangs devant le professeur de sa classe
2. Quelques élèves se précipitent pour saluer les professeurs ou pour porter un paquet de cahiers.
3. Puis on écoute l'hymne national chante par les élèves de sixième année.
4. A huit heures précises, une sonnerie retentit.

_____

_____

_____

_____

_____

_____

Pour terminer la phrase ajoute les mots qui manquent au groupe verbe.

1. Le sac du professeur se trouve _____.
2. L'écolier écrit _____.
3. Les élèves écoutent _____.
4. Une élève est assise _____.
5. L'autre fille est assise _____.
6. La poubelle se trouve _____.
7. Le professeur montre _____.
8. Le dessin auprès de la porte montre _____.
9. Cette femme porte _____.

Le Paragraphe

L'arrive à l'école

Recopie le texte en mettant les phrases en ordre. Fais deux paragraphes.

1. Aussitôt arrives, les professeurs se dirigent vers leurs classes et ouvrent les portes.
2. Chacun se dirige vers sa place sur la cour.
3. Dès sept heures et demie du matin, les premiers élèves arrivent sur la cour.
4. Certain déposent leurs sacs dans un coin et de livrent à leurs jeux préférés.

_____
_____
_____
_____
_____

1- Un/Le bac à sable	6- Un/Le socle	11- Un/Le ballon	15- Un/Le feuillage
2- Un/Le drapeau	7- Un/Le filet	12- Un/Le bloc,	16- Une/La feuille
3- Un/Le mât	8- Un/L'oiseau	Un/Le parpaing	17- Une/La branche
4- Un/L'emblème	9- Un/Le banc	13- Un/L'arbre	18- Une/L'allée
5- Un/Le Toboggan	10- Un/Le mur	14- Un/Le tronc	19- Une/La bascule

20- Une/La bille
21- Une/La fontaine
22- Une/La boîte à lunch

23- Une/La thermos
24- Une/La balançoire
25- Une/La barrière

26- Un/Le gond
27- Un/Le poteau
28- Un/Le barbelé

29- Une/La corde à sauter

Mots supplémentaires: Glisser • sauter • se balancer • jouer • voler.

Dans la cour de l'école

C'est l'heure de la récré. Les enfants sont dans la cour et jouent à la marelle, à l'élastique, au ballon ou aux billes. Et toi, quel est ton jeu préféré quand tu es en récré ? Colorie ce dessin et offre-le à la maîtresse... ou au maître !

La cour de recréation

Classe les mots par ordre alphabétique.

A) Bac, toboggan, socle, filet, gond, mât, poteau, allée

_____

B) Thermos, feuillage, balançoire, corde, drapeau, arbre

_____

Complete le groupe nom par un autre nom. Pour cela, fais la question en mettant. Quel devant le premier nom.

Le portail		Le tronc	
Le gardien		Les branches	
Le filet		La balançoire	
Le feuillage		Les poteaux	
La boîte		Le socle	
Le jeu de		L'allée	
Le ballon		Les rangées	

La Phrase

Trouve le groupe sujet qui convient au groupe verbe.

Le bac à sable	intéresse les fillettes.
Le gardien de but	contient du jus d'orange.
Le jeu de billes	n'intéresse personne sur cette cour.
Le ballon de football	sont fixées aux poteaux.
Le mât du drapeau	est bien gonflé.
Le feuillage de l'arbre	sont au pied de l'arbre.
Les deux boîtes à lunch	est touffu.
Les cinq rangées de barbelé	est tendu entre deux poteaux.
La corde à sauter	est enfoncé dans le socle.
La thermos de l'écolier	ne laisse pas passer le ballon.
Le socle du mât	est en ciment.
Le filet de volley-ball	intéresse les trois garçons.

Le paragraphe

A) Où les enfants s'amusent-ils ? — Qu'est-ce que l'enfant descend en glissant ?
— Que font les trois enfants près du bac à sable ? — Que fait la fillette dans
l'allée ? Que fait le garçon qui est près du mât du drapeau ? — Près de l'arbre,
que font les enfants ? — Où vois-tu des boîtes à lunch ?

_____

_____

_____

_____

_____

_____

_____

B) Comment sort-on de cette cour ? En quoi est la barrière ? Qu'est-ce qu'il y a à
droite de la barrière ? Qu'est-ce qu'il y a à gauche de la barrière ? Quand les enfants
veulent se mettre à l'ombre, où vont-ils ? Si un enfant a soif, où trouve-t-il de l'eau ?

_____

_____

_____

_____

_____

_____

Mets les phrases en ordre. Fais un seul paragraphe.

Le jeu de billes.

Mets les phrases en ordre. Fais un seul paragraphe.

1. Chaque enfant met trois billes dans le rond.
2. Robert et Louis décident de jouer aux billes.
3. Louis lance sa bille, le premier; elle s'arrête près du rond.
4. Robert fait un rond.
5. C'est à Robert de jouer le premier.
6. Robert lance ensuite sa bille; elle s'arrête juste auprès du rond.

_____

_____

_____

_____

_____

_____

_____

Rédaction

Mon plus vieux jouet

Parmi tes jouets, lequel est le plus vieux ? ... Quand est-ce que tu l'as reçu ? ...
Comment était-il quand il était neuf ? ... Quand est-ce que tu aimes l'avoir avec
toi ? ... Comment est-ce que tu joues avec lui ? ... Quand tu lui parles, qu'est-ce
que tu lui dis ? ...

_____

_____

_____

_____

_____

Kreyol

Chen ak chat

Nan peyi zannimo, tout bèt yo te viv youn ak lòt tankou frè ak sè. Yon jou, chat fè chen yon move travay. Sa te pase yon semèn apre maryaj Mètrèsdlo ak Wa pwason. Twouve, Mètrèsdlo nan montre tout zanmi l yo bag maryaj li a, tou pèdi l. Li t ap kriye tout jounen tèlman sa te fè l lapenn. Li pa wè kijan l pral di mari li koze sila a.

Konpè chen ak konpè chat vin ap pase bò lanmè a, yo wè l ap kriye. Kè yo fè yo mal, yo deside al chèche bag la pou li. Anvan yo pati, konpè chat di konpè chen :

" Ou konnen mwen pè dlo. Kijan n ap fè sa ? "

Konpè chen reponn :

" Pa fatige kò w, m ap mete w sou do m, konsa ou p ap mouye."

Menm moman an, konpè chat monte sou do konpè chen. De zanmi yo ap franchi lanmè a. Lè yo rive sou yon ti zile, konpè chat wè yon pwason, li touye l. Lèfini, li di konpè chen :

" Vini pou n al manje pwason an. "

Etan konpè chat ap manje mòso pa l la, li santi yon bagay won anba dan l. Lè l gade, li wè se bag Mètrèsdlo a. Li pa di anyen. Li foure l nan bouch li epi li di konpè chen :

" Bon, li lè pou n antre kounye a, zafè ki gade bag la. N a di Mètrèsdlo nou chèche l tankou zepeng, men nou pa jwenn li. "

Se konsa yo tounen. Pandan konpè chen ap redi goumen ak vag lanmè a, konpè chat limenm ap pran lèz kò l sou do konpè chen. Apèn yo debake kay Wa pwason, chat la lonje bag la bay Mètrèsdlo. Madanm nan pran chante, danse tèlman li kontan. Aprè yon bon moman, Mètrèsdlo di :

" Ou jwenn bag mwen an ! Mèsi anpil, konpè chat. Kòm rekonpans, apati jodi a se avèk mwen w ap manje." Epi Mètrèsdlo gade chen an li di l :

" Kanta oumenm, kuizin pa pou ou, se deyò w ava manje. "

Konpè chen te sitèlman sezi, li pa di yon mo.

Se depi jou sa a chen ak chat tounen lèt ak sitwon.

Kont sila a sòti peyi **"Nouvelle-Calédonie"**

Mwen konprann tèks la

1.– Kijan Mètrèsdlo te pèdi bag maryaj li ?
2.– Kiyès ki al chèche bag la pou Mètrèsdlo ?
3.– Kijan konpè chat rive fè vwayaj la ?
4.– Lè konpè chat jwenn bag la, kisa l te fè ?

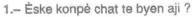
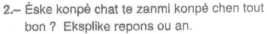

M ap reflechi sou tèks la

1.– Èske konpè chat te byen aji ?
2.– Èske konpè chat te zanmi konpè chen tout bon ? Eksplike repons ou an.
3.– Si ou ta gen pou w chwazi yon zanmi ant chen ak chat, kiyès ou t ap pran ?

Vokabilè

 **M ap travay**

1.– Trase tablo sa a nan kaye w, epi klase non bèt ki nan bwat mo a nan bon kolòn nan.

Bèt ki viv nan dlo	Bèt ki viv sou latè

Bwat mo

chen – chat – pwason – lanbi – chwal – oma – kribich
lapen – kabrit – reken – elefan – sirik – kochon – foumi
kayiman – bèf – poul – balèn – kodenn – tritri – bourik

2.– Mete ansanm non bèt ki ale ak ekspresyon sa yo.

a) pè dlo tankou ...   1) chwal
b) malpwòp tankou ...   2) jako
c) malen tankou ...   3) chat
d) pale anpil tankou ...   4) kochon
e) lèd pase ...   5) makak

3.– Mete ansanm ekspresyon ki vle di menm bagay.

a) poze lapat sou   1) tankou lèt ak sitwon
b) tankou chen ak chat   2) mete lamen sou

Gramè

 **M ap chèche**

Tonton m ap mennen kabrit la bwè dlo.

Chat madanm nan achte a se pou boutik li a.

• **Di kisa :** *tonton* ak *madanm* ye – *kabrit* ak *chat* ye – *dlo* ak *boutik* ye.

M ap aprann

Yon non se yon mo ki montre swa yon moun, swa yon bèt oswa yon bagay.
Egzanp :
non moun : parenn - elèv - koutiryè - manman...
non bèt : bèf - chen - bourik - chat - sourit...
non bagay : tablo - telefòn - bato - kay - tab...

M ap travay

1.– Itilize bwat mo a pou konplete fraz sa yo.

Se ... Mètrèsdlo a ki pèdi.

... nan ap kuit pwason jodi a.

Nan lakou lekòl la, ... yo ap jwe woslè.

... la manje tout zèb nan jaden an.

Bwat mo

Kabrit
Madanm
bag
elèv

2.– Trase tablo sa a nan kaye ou, epi ranje non yo nan kolòn ki pa yo a.

Non bèt	Non moun	Non bagay

Lanmè Lè Pitit Matant

Rat Tiyèl Kribich Hanna

Kochon Sirèt Machin

3.– Nan chak kolòn, rekopye non yo sèlman.

Makòmè	Makout	Pandan	Sourit
Soup	Lèt	Tenbal	Kite
Jwe	Pantalon	Sigarèt	Lapen
Pijon	Tifi	Kouri	Chwal

Òtograf

M ap aprann

Pou ekri kreyòl, yo sèvi ak 24 lèt :
a, b, c, d, e, f, g, h, i, j, k, l, m, n, o, p, r, s, t, u, v, w, y, z.
Lèt sa yo ranje nan lòd alfabetik.

M ap travay

1.– Ekri lèt ki vin anvan an ak lèt ki vin apre a :

... b ...;   ... g ...;   ... k ...;   ... n ...;   ... r ...;   ... u ...;

2.– Mete lèt sa yo nan lòd alfabetik.

a) d, g, e, f   b) j, h, k, i   c) n, o, l, m   d) t, s, p, r

3.– Gade sou tablo a pou ou jwenn mo nimewo sa yo kache.

Lèt	A	B	C	D	E	F	G	H	I	J	K	L	M	N	O	P	R	S	V	W	Y	Z		
Nimewo	1	2	3	4	5	6	7	8	9	10	11	12	13	14	15	16	17	18	19	20	21	22	23	24

16	5	14
p	e	n

6	22	9

11	15	20	19

11	1	10	15	20

16	1	14	23	5

4.– Mete lèt non sa yo nan lòd alfabetik. Gade sou modèl la.

kouzen ——> e, k, n, o, u, z

a) bourik   b) imaj   c) Jako
   woz   sizo   rad

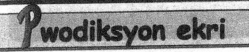

Sa w dwe konnen pou w ekri yon lèt

*Pou ekri yon lèt, ou mete anwo adwat **kote ou rete a ak dat la**. W ale sou yon lòt liy, ou ekri agòch non **moun w ap ekri a** Apre sa, nan yon premye mòso, ou mande nouvèl moun w ap ekri a ak pa tout lòt moun yo, epi ou bay nouvèl pa ou. Nan yon dezyèm mòso, ou ekri mesaj la. Nan twazyèm mòso a, ou fini lèt la pandan w salye moun nan yon fason espesyal. Lèfini, ou **siyen lèt la***

M ap travay

M ap aprann dispoze yon lèt

> Pòdprè 4 oktòb 2003
>
> Edna,
>
> Depi m sòti Pòtoprens nan mwa jijyè a, m pa pran nouvèl ou. Kouman ou ye, e tout lòt moun yo?
>
> M ap fè w konnen mwen trè byen pa bò isit. Mwen jwenn yon bon travay Kèvens al lekòl kay frè yo, li kòmanse fè zanmi, li renmen lekòl la anpil Mwa desanm nan, m ap gen senk jou konje, konsa n ap rantre Pòtoprens.
>
> M ale Salye tout moun nan kay la pou mwen.
>
> Sè w, Mama

M ap analize yon lèt

Li lèt sa a, fè yon ti reflechi sou fason yo dispoze l, epi chwazi bon repons yo.

– Ki kote yo mete dat la : sou bò dwat / sou bò goch.

– Moun ki ekri lèt la rele : Edna / Mama.

– Moun yo ekri a rele : Mama / Edna.

– Konbyen mòso lèt la genyen : 3 / 4.

– Moun ki fè lèt la siyen l : anba sou bò dwat / anwo sou bò goch.

Rekopye lèt sa a pandan w ap mete chak pati yo nan plas yo.

> Dina,
>
> Kouzen ou, Woni :
>
> M ale, salye tout moun. Pote w byen.
>
> Bò isit, bagay yo pa fasil Sami malad anpil Doktè mande pou yo entène l. Se sa k fè mwen p ap ka vini nan fen mwa a ankò Sò Tika oblije rantre Okap. M ap mande pou voye kèk rad pou mwen lè l ap retounen Milo.
>
> Li fè kèk jou m pa pran nouvèl ou, kijan w ye? Ban m nouvèl tout fanmiy lan.
>
> Milo, 5 me 2004

Fabrikasyon yon telefòn

Nou kapab itilize plizyè zouti pou nou kominike. Yo rele yo : zouti kominikasyon. Youn nan zouti kominikasyon yo se telefòn.

Se yon Ameriken yo rele Alexander Graham Bell ki te envante telefòn. Alexander Graham Bell fèt nan lane 1847. Manman li te soud. Lè li vin gran, li tonbe damou pou yon fi ki soud tou. Epi li marye ak li. Se nan chache mwayen pou l kominike pi byen ak moun ki soud yo, Graham Bell dekouvri son vwa nou kapab pase pà yon fil. Se konsa li te envante zouti sa yo rele telefòn nan.

1.- **Kominike** ; *fè yon mesaj pase ak yon zouti.*

2.- **Zouti kominikasyon :** *materyèl ki pèmèt moun kominike youn ak lòt.*

3.- **Envante :** *fè yon bagay pèsòn moun pa t fè anvan.*

4.- **Soud :** *moun ki pa tande.*

5.- **Konpayi telefòn :** *yon biznis ki vann ak enstale telefòn pou moun.*

6.- **Kèp :** *ti gode an plastik.*

Men yon ti eksperyans ki kapab pèmèt nou konprann kijan yon telefòn te mache lè Alexander Graham Bell te envante l la.

Pou nou fè eksperyans silaa

Men materyèl n ap bezwen :
- 2 kèp plastik (kèp fresko)
- Yon mòso fisèl oswa fil yo fè kwochè *(longè yon bwa bale apeprè)*
- 2 ti mòso bwa yo netwaye dan, oswa 2 ti mòso bwa tou fen longè pous ou.

Men kijan n ap fabrike telefòn jwèt sa a.

1.- Fè yon ti twou pa anba, nan mitan chak kèp. Lèfini, pase youn nan pwent fil la nan youn nan kèp yo. Se pou ou pase fil la pa deyò kèp la pou pwent li sòti pa anndan.

2.- Mare pwent fil la nan ti bwa a byen sere. Apre sa, rale fil la pa deyò kèp la. Ti bwa a ap rete kole pa anndan kèp la pou anpeche lòt bout fil la sòti.

3.- Kounye a, kenbe youn nan kèp yo. Bay yon lòt timoun kenbe lòt kèp la. Rale fil la pou l kapab byen dwat. Yon moun ap mete kèp pa li a nan zòrèy li etan lòt la ap mete pa l la nan bouch li pou l pale tou ba. Moun ki mete kèp pa l la nan zòrèy li a ap tande vwa lòt la.

Eksperyans sa a fè nou reyalize sa Alexander Graham Bell te dekouvri a : son vwa nou kapab pase trè byen nan yon fil.

Alexander Graham Bell. Li fèt nan lane 1847 e li mouri nan lane 1922.

Mwen konprann tèks la

1.– Sou ki zouti kominikasyon yo pale nan lekti a ?
2.– Kiyès ki envante aparèy sa a ?
3.– Kisa nou bezwen pou n fè aparèy an jwèt sa a ?
4.– Lè nou fin reyalize l, ki kote premye moun nan ap mete kèp la ? E dezyèm moun nan ?

M ap reflechi sou tèks la

1.– Kisa eksperyans telefòn nan montre ?
2.– Ki itilite ti bwa a ki rete kole nan kèp la ?
3.– Chèche yon lòt mo ki ka vle di "envante" tou.
4.– Chèche nan lantouraj ou kèk lòt mwayen kominikasyon yo konn itilize.

Vokabilè

 **M ap travay**   Zouti kominikasyon, se tout sa yo itilize pou fè pase yon mesaj, yon anons.

| Telefòn | Jounal | Pòtvwa | Afich |

1.– Konplete devinèt sa yo ak non chak desen yo.

- Yo sèvi ak mwen pou pale lè yo lwen. Mwen se yon_____.
- Lè yo pale ànndan m, vwa a sòti pi fò. Mwen se yon_____.
- Mwen genyen yon gwo desen ak yon slogan pou mesaj mwen yo byen pase. Mwen se yon _____.
- Yo li mwen pou jwenn nouvèl peyi a ak nouvèl lòt bò dlo tou. Mwen se yon_____.

2.– Kopye chak ranje pandan w ap retire sa ki pa yon zouti kominikasyon.

a) vantilatè	b) lèt	c) kabrit
radyo	kowosòl	boutèy
pikwa	chemiz	televizyon

Gramè

M ap chèche

rale a tifi ap fil la

Tifi a ap rale fil la.

- Nan 2 gwoup mo sa yo, kiyès ki gen sans ?
- Kòman yo rele gwoup mo ki gen sans lan ?

M ap aprann

Yon fraz se yon gwoup mo ki fè sans. Li toujou kòmanse ak yon gwo lèt yo rele **lèt majiskil**, li fini ak yon **pwen**.

1.- Kopye sèlman fraz yo nan kaye w etan w ap mete majiskil yo ak pwen yo.

a) papay la pouri nèt

b) etidye ap timoun yo

c) chen nou an fè kat pitit

d) gwo diri sak a tonbe nèt

e) bay mèt ap la eksplikasyon devwa a

f) anita renmen pale nan telefòn

g) tout gazon yo ap rache jowèl

h) pyès teyat sa a fè moun ri anpil

2.- Mete gwoup mo sa yo nan lòd pou fòme yon fraz. Pa bliye majiskil ak pwen.

a) kòd - koupe - la

b) vyann - mwen - anpil - renmen

c) tonbe - a - nan - lakou - a - pyebwa

d) nan - tout - moun - sòti - la - kay

Òtograf

> *Nan lang kreyòl la, genyen :*
> * *4 vwayèl senp : a, e, i, o;*
> * *4 vwayèl ki ekri ak 2 lèt : an, en, on, ou;*
> * *2 vwayèl ki genyen aksan fòs : ò, è.*

1.- Kopye mo ki genyen vwayèl senp yo sèlman.

bale – vizite – vole – leve – mouton – bonte – patat – bourik – felisite.

2.- Kopye mo ki genyen vwayèl ki fòme ak 2 lèt yo sèlman, epi fè yon won alantou vwayèl sa yo.

koulè	lanmè	kouzen	ankò	kouri	gòl
nouvèl	anlè	gèp	kòd	kouran	chofè

3.- Pase yon trè anba vwayèl ki gen aksan fòs yo.

gagè	sewòm	kòl	andeyò	zèklè	pòt
nyès	palè	bòy	larivyè	kowosòl	bekàn
motè	bèkèkè	arebò	malonèt	kenèp	fèy

4.- Mete mo sa yo nan lòd alfabetik.

a) osito – agase – inosan – elefan.

b) anana – oto – istwa – elèv.

c) avyon – ipi – elektrik – Okap.

5.- Mete non moun sa yo nan lòd alfabetik.

Ameli   Oba   Emil   Ilka

Pwodiksyon ekri

Sa w dwe konnen pou w ekri yon dyalòg.

Dyalòg, se lè de moun ap pale youn ak lòt. Lè w ap ekri l, ou mete yon tirè devan chak fraz. Tirè sa a ede nou wè kilè premye moun nan ap pale, kilè dezyèm moun nan ap pale. Suiv egzanp lan byen pou nou wè.

M ap travay

M ap rekonèt yon dyalòg

- Alo Ana, se Nadin. Ou etidye deja ?

- Men non, machè, se nan devwa yo m ye toujou.

  E ou menm, sa w ap fè kounye a ?

- Se devwa yo mwen pral fè, paske mwen fin etidye.

- Oke Nadin, n a pale, babay.

M ap analize yon dyalòg

- Konbyen moun k ap pale nan tèks la ?
- Chèche tout sa Nadin di yo.
- Kisa ki fè nou konnen lè chak moun ap pale ?

M ap ekri yon dyalòg

1.- Men yon dyalòg. Nou genyen tout sa premye moun nan di a. Chèche pawòl dezyèm moun nan.

- *Bonjou bòs Pòl, m bezwen w anpil.*

-

- *Mwen gen yon pòt ki pa vle louvri.*

-

2.- Jaki t ap jwe boul nan lakou lekòl la ak Nono. Li fè yon gwo chout, pye l glise, li tonbe. Gade jès yo byen sou desen an. Ekri 2 fraz sou sa chak moun yo ap di.

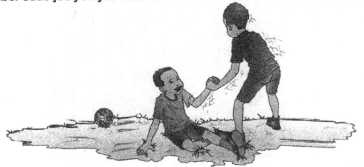

Civique

Coopération

L'école

Les règles de sécurité à l'école

À l'école comme ailleurs, il faut respecter les **règles de sécurité** qui sont là pour assurer le bien-être physique de **tous**.

Sur ce dessin, certains enfants prennent des **risques** : ils se mettent **eux-mêmes en danger**, mais menacent également la **sécurité des autres**. Grimper à la bordure d'une fenêtre, escalader la grille de l'école, lancer le ballon n'importe comment, l'envoyer vers une vitre, courir sans regarder devant soi, se balancer à une branche, jouer avec une porte ou dans un escalier sont autant d'**attitudes dangereuses**.

D'autres enfants, en revanche, **se comportent bien** : ceux qui attendent leur tour au toboggan, jouent au ballon dans l'espace réservé à cet effet, amènent un enfant blessé au maître.

Les règles de sécurité à l'école

Légende :

1. Cet élève risque de **basculer** ou de ne pas pouvoir s'arrêter en bas. Il peut **tomber** dans l'escalier et se faire très mal.

2. Ce jeu est très dangereux : l'enfant peut s'**étrangler** avec la corde à sauter.

3. Ces élèves risquent de **prendre froid** parce qu'ils sont mouillés. Ils peuvent aussi **glisser** sur la flaque d'eau et faire une chute.

4. Les compas ne sont pas des jouets, mais des instruments de géométrie : ces enfants peuvent **se faire mal** avec la pointe, surtout s'ils exposent leur visage.

Sport à l'école et sécurité

Sur ces vignettes, certains enfants **ne respectent pas les règles** :
1. respecter les décisions de l'arbitre ;
2. ne pas jouer à pousser les autres ;
3. attacher ses lacets (avoir un équipement adapté) ;
4. ne pas faire de croche-pieds.

La coopération entre élèves

Une famille, une classe, une école, un club sportif sont autant de **communautés** auxquelles nous appartenons. Pour **bien vivre** ensemble, il est important de savoir coopérer avec les autres.

Dans cette scène de cour d'école, certains enfants s'**entraident** et **coopèrent** : celui qui aide son camarade à se relever, ceux qui attendent leur tour pour jouer aux billes, etc. D'autres en revanche, n'ont pas un comportement adapté : ceux qui se battent, ceux qui regardent les autres se battre sans intervenir, etc.

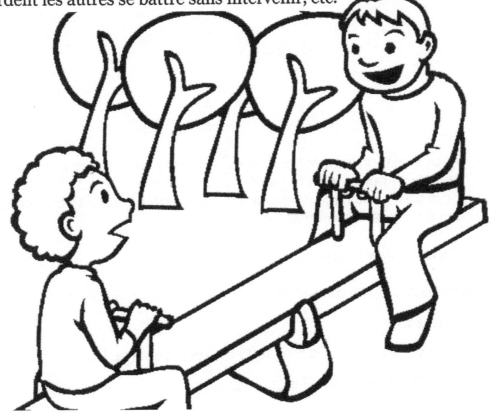

Géographie

LE GLOBE ET LES PLANISPHERES

1. La terre est **une immense boule**.

➤ On peut la représenter sous la forme **d'un globe terrestre**, c'est-à-dire une maquette à la forme ronde.

➤ On peut aussi la représenter sous la forme **d'un planisphère**, à plat, comme si on déroulait ou on écrasait le globe.

Pôle Nord

Équateur

Hémisphère Nord

Hémisphère Sud

Pôle Sud

2. Pour se situer, les géographes utilisent des repères : le sommet de la terre s'appelle **le pôle Nord** ; à l'autre extrémité se trouve **le pôle Sud** ; une ligne imaginaire, **l'équateur**, sépare la Terre en deux moitiés, **les hémisphères.**

→ Réponds aux questions :

➤ Quelle est la forme de la terre ?

➤ La terre est _____.

➤ Comment appelle-t-on la maquette qui représente la Terre sous la forme d'une boule ? C'est le _____.

Une carte est une représentation graphique plane d'une région plus ou moins étendue de la Terre.

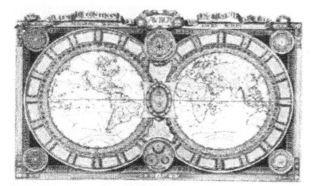

Monde connu en 1688 par Jaugeon

Plan de Paris en 1618 par Visscher

Une carte est soit topographique, elle décrit des terrains, une région, un lieu, avec l'indication du relief, soit thématique avec la carte météo ou encore des données démographiques.
Le relief précis d'un terrain se fait soit au sol soit par photo aérienne.

<u>**Quelles informations trouve-t-on sur une carte ?**</u>

Sur une carte topographique générale, on trouve des symboles graphiques qui permettent de représenter et de visualiser de nombreuses informations telles que les villes, les capitales, les cours d'ea, les sommets montagneux, les frontières, etc.

Pour représenter la Terre sur un planisphère (une carte plane), il existe une solution géométrique : il s'agit d'établir une correspondance entre tous les points mesurés du globe et tous ceux de la carte, grâce au découpage vertical et horizontal de la planète : c'est la longitude (les méridiens) et la latitude (les parallèles et l'équateur).

Latitude et longitude

La latitude d'un lieu donné est l'angle formé par la verticale de ce lieu avec le plan de l'équateur.
Exprimée en degrés, elle est comptée de 0° à 90° à partir de l'équateur vers les pôles, positivement vers le Nord et négativement vers le Sud.

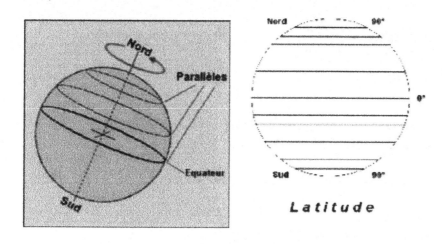

La longitude d'un lieu donné correspond à l'angle formé par le méridien de ce lieu avec le méridien d'origine (méridien de Greenwich).
Elle varie d'Ouest en Est.

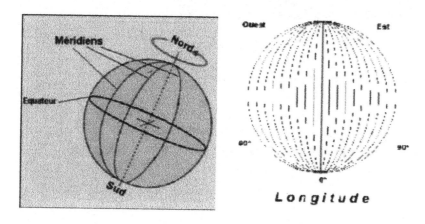

Le globe terrestre

❶ Colorie les océans en bleu clair.
❷ Complète avec : pôle nord – pôle sud – équateur

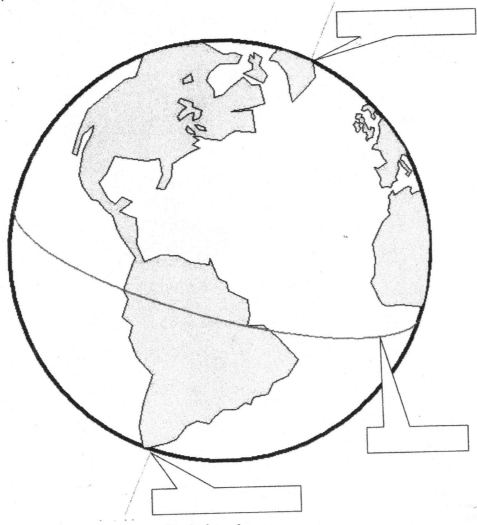

Copie les phrases.

La terre est une sphère recouverte

de continents (terre) et de mers (eau). Il y a plus d'eau que de terre.

_____

_____

_____

➢ Quelle représentation de la Terre permet de voir toute la Terre d'un seul coup d'œil ? C'est un _____.

3. Relie d'une flèche chaque nom à la partie du globe qui lui correspond.

➢ Pôle Nord   O

➢ Hémisphère Nord   O

➢ Équateur   O

➢ Hémisphère Sud   O

➢ Pôle Sud   O

b Le globe terrestre

Complete ce qui suit :

Boit des Mots
méridiens   sud   méridien de Greenwich
latitudes   parallèles   équateur   longitudes
nord   perpendiculaires   est   ouest

--Les _____sont des lignes parallèles à l' _____.

C'est pourquoi on les appelle aussi des _____.

Elles varient entre 90 dégrée _____ et 90 dégrée _____.

Plus la latitude s'écarte de 0 dégrée, plus on s'éloigne de L'équateur pour se rapprocher des pôles.

--Les _____ sont des linges _____

à l'équateur, qui relient le pôle Nord au pôle sud. On les appelle aussi

des _____. Elles carient entre 180 dégrées _____

et 180 dégrées_____. Le _____ __ _____correspond à la longitude 0 dégrées.

Histoire

Mon Histoire

Je m'appelle Nancy. Je suis en 3e année.

Mon histoire a commencé le jour où maman est devenue enceinte. J'ai passé 9 mois dans son ventre. Un beau matin, j'ai décidé que je ne voulais plus y rester. Il me fallait sortir du ventre de ma maman à tout prix. C'est ainsi que ma maman est allée a l'hôpital où je suis née le 1er mai 2002.

Maman était content et elle n'arrêtait pas de dire : « Merci Dieu, ma fille est superbe.»

Chaque journée a son histoire. Quand j'arrive à la maison, maman me demande : «Qu'est-ce que tu as fait aujourd'hui ? Elle veut connaitre l'histoire de ma journée.

Chaque semaine a aussi son histoire. Lundi est le 1er jour de classe de la semaine. mardi est le jour de marché.

Et pour toi, quels sont les événements (faits importants qui sont arrivés) de la semaine ?

Lundi	Mardi	Mercredi	Jeudi	Vendredi	Samedi	Dimanche

Observe bien le dessin ci-dessous et la ligne du temps de ma vie, de ma naissance à 6 ans. Comme tu peux le voir, j'ai beaucoup changé et je change encore. Je grandis. Je mange tout(e) seul(e). J'aime de nouvelles choses et il y en a d'autres que j'aime plus.

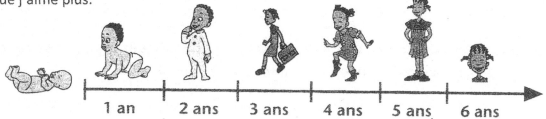

Demande à tes parents de te raconter l'histoire de ta naissance à aujourd'hui ; ce que tu savais faire a 1 an, 2 ans, 3 ans

1 an	
2 ans	
3 ans	
4 ans	
5 ans	
6 ans	
7 ans	
8 ans	

L'histoire

L'histoire raconte ce qui est déjà arrivé. Dans quelques années, ce qui se passe aujourd'hui, tous les événements importants, feront aussi partie de l'histoire.

Dieu veut que l'homme considère les périodes historiques significatives afin d'être plus sage dans leur compartiment dans l'avenir.

Comme toi, Haïti a une histoire.

Notre pays n'a pas toujours été comme tu le vois maintenant.

Histoire

La Bible, la parole de Dieu, nous dit comment la race humaine commença. Il y a bien longtemps, Dieu créa le premier homme et il l'appela Adam. Dieu créa Adam a partir de la poussière du sol. Lorsque Dieu souffla la vie dans Adam, celui-ci devient vivant. Il se retrouva alors dans un magnifique jardin appelé Eden.

Guanín

Colorie

Gaunin un jeune Taino

Les tainos étaient les premiers habitants d'Haïti.

Haïti était belle. Il y avait beaucoup d'arbres, de rivières, de fleurs, d'oiseaux. Gaunin marche en chantant dans la forêt. L'air est parfumé et frais. Gaunin a dix ans. Il est de grande taille. Ses cheveux noirs et raides retombent sur ses épaules. La teinture rouge de roucou recouvre son corps et le protège du soleil. Roucou était un arbre dont les graines donnent une teinture rouge. Il port un pagne (une sorte de jupe).

Gaunin va au village voisin visiter ses amis. En traversant un champ de patates, il souhaite le bonjour aux femmes qui y travaillent et continue gaiement son chemin. Il entre finalement dans une petite maison ronde au toit pointu. Il salue Higuenamota une petite fille et son frère Hatuey. Higuenamota descend de son hamac qui est une sorte lit en tissu, suspendu. Elle propose de jouer au batos. (Jeu de balle des indiens)

Les enfants courent vers la place du village. Un grand terrain est utilisé pour les compétitions entre les régions voisines. Des amis les rejoignent avec un ballon. Le jeu de batos commence. Attention ! Les mains et les pieds ne doivent pas toucher le ballon.

Le jeu termine, les enfants plongent dans l'eau claire de la rivière qui coule tout près. Puis ils regagnent le village pour un repas qu'ils prennent avec beaucoup d'appétit.

6

Pour le Tainos, toutes les choses de la nature qu'ils ne comprenaient pas étaient des dieux, des « zémès. » Ils adoraient le soleil, la lune, les étoiles, les rivières, les arbres…. Ils appelaient leurs dieux « zémès. »

Les Tainos ne croyaient pas en Dieu.

La nourriture des Tainos était variée : maïs, cassaves, ignames, patates, cassaves, poissons, oiseaux, oies, iguanes, etc. Ils aiment aussi les fruits : ananas, sapotilles, abricots, … et les gâteaux miel.

Relie par une flèche les mots avec le symbole gravé dans la pierre.

Escargot

Crapaud

Soleil

Oiseau

Enfant

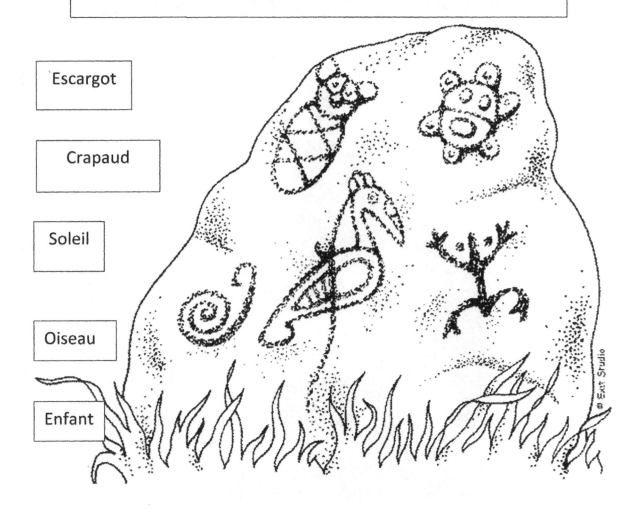

Sciences Expérimentales

Qui nous a créé ? La Bible, la parole de Dieu, nous
dit comment la race humaine commença. Il y a bien
longtemps, Dieu créa le premier homme et il l'appela
Adam. Dieu créa Adam à partir de la poussière du
sol. Lorsque Dieu souffla la vie dans Adam,
celui-ci devint vivant. Il se
retrouva alors dans
un magnifique jardin
appelé
Éden.

Les êtres vivants

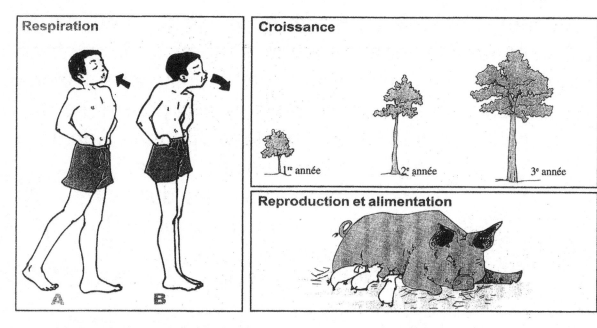

Cet enfant fait des mouvements respiratoires. En A, il inspire: il fait entrer de l'air dans ses poumons. En B, il expire: il rejette l'air.
Refais les mêmes mouvements. Est-ce que tu les fais souvent? À quoi servent-ils?
Observe le même arbre trois années de suite. Que remarques-tu? Constates-tu le même phénomène chez les êtres humains?
Les petits cochons viennent-ils de naître? Que font-ils? À quoi est-ce que cela sert?

Les hommes, les animaux et les plantes sont des êtres vivants.

Ils sont des êtres vivants parce qu'ils naissent, respirèrent, se nourrissaient, grandissant, se reproduisent (faire des petits) et meurent finalement.

Tous les êtres vivants sont capables également de mouvements. Chez les animaux, ces mouvements sont très visibles. Chez les plantes, ils sont plus lents, mais ils se font quand même : pense aux lianes qui s'enroulent autour des arbres, aux racines qui s'étendant dans le sol a la recherche d'eau et de nourriture.

Vivant ou non vivant ?

1 Observe tous ces dessins. Colorie en vert tous ceux qui représentent des êtres vivants.

un bébé — un ordinateur — un chat — un arrosoir — un arbre

une télévision — un vélo — un livre — une voiture — une fourmi

2 Barre ce qui n'est pas vivant sur chaque ligne.
Entoure les animaux en rouge et les plantes en vert.

127

Les êtres vivants sont tous ceux qui se reproduisent, se nourrissent, se respirent, naissent, et meurent.

Ecris dans la colonne A, les êtres vivants et dans la colonne B les êtres non vivants, en choisissant les noms au-dessous du tableau.

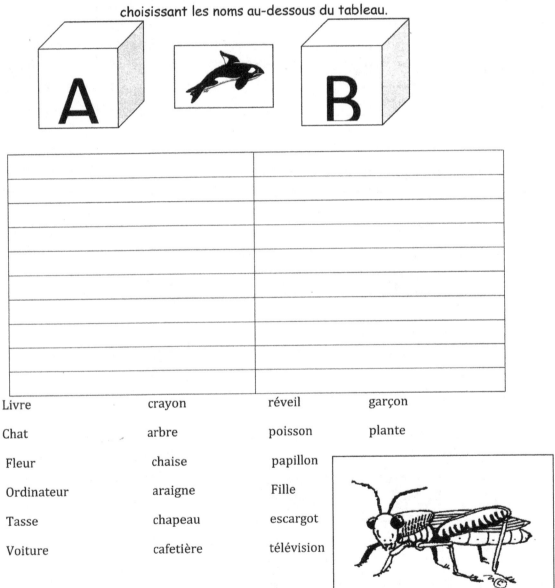

Livre	crayon	réveil	garçon
Chat	arbre	poisson	plante
Fleur	chaise	papillon	
Ordinateur	araigne	Fille	
Tasse	chapeau	escargot	
Voiture	cafetière	télévision	

❶ Colorie en bleu les êtres vivants et en rouge les non-vivants.

❷ Complète le texte.

Les êtres vivants se . . . . , ... ,

. . . . et se . . . . (font des petits).

Les êtres vivants sont les . . . . et les . . . .

✎ La **respiration** : pour vivre, les plantes, les animaux et les hommes

doivent absorber un . . . . (oxygène …) et en rejeter un autre.

✎ La **nutrition** : pour vivre les êtres vivants doivent trouver leur . . . .

(dans le sol pour les plantes)

✎ La **reproduction** : pour survivre, chaque espèce doit de reproduire c'est à

dire faire des . . . .

✎ La **croissance** : durant leur vie, chaque être vivant . . . . et se

transforme.

Nous les êtres vivants

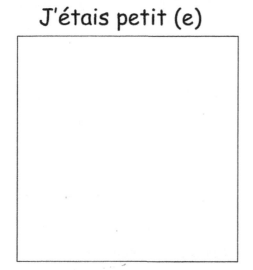

1. Croissance

2. Croissance **MOI**

J'étais petit (e)

Et je deviens grand(e)

Fais un dessin
quand tu étais petit.

Fais un dessin quand
Tu deviens grand.

N.B.) Les animaux et les plantes naissent, se reproduisent, respirent, se
nourrissent, et meurent.

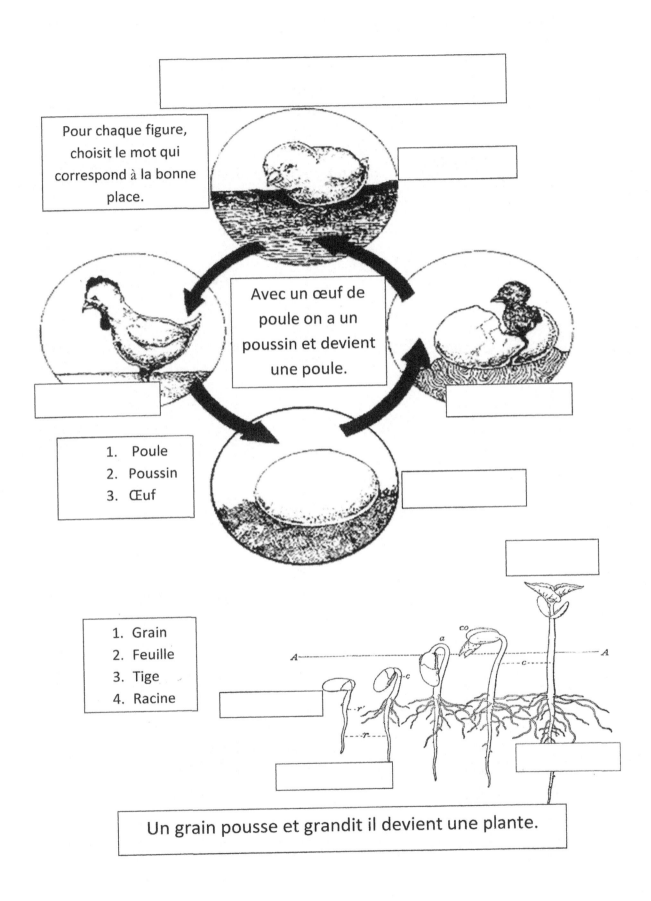

Pour chaque figure, choisit le mot qui correspond à la bonne place.

Avec un œuf de poule on a un poussin et devient une poule.

1. Poule
2. Poussin
3. Œuf

1. Grain
2. Feuille
3. Tige
4. Racine

Un grain pousse et grandit il devient une plante.

1. L'œuf
2. Têtard
3. Crapaud

Avec l'œuf d'un crapaud on a têtard. Le têtard devient un crapaud.

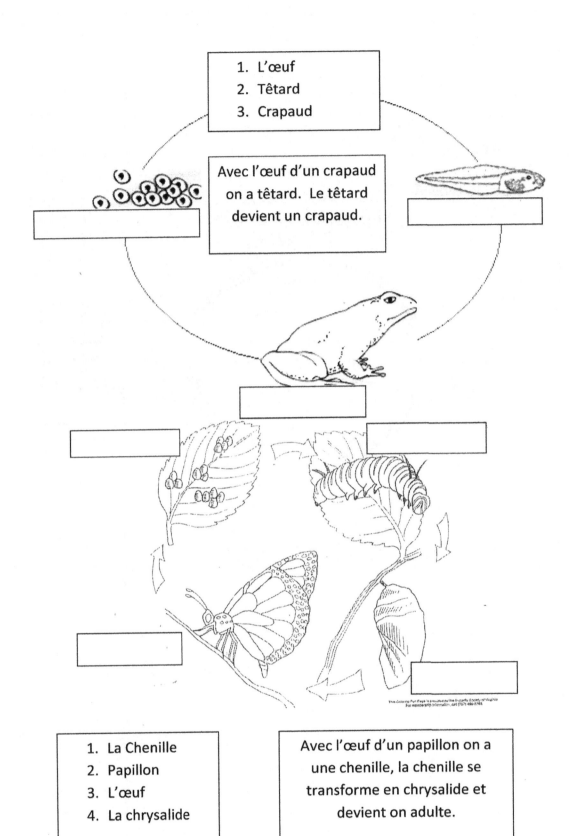

1. La Chenille
2. Papillon
3. L'œuf
4. La chrysalide

Avec l'œuf d'un papillon on a une chenille, la chenille se transforme en chrysalide et devient on adulte.

Nous les Humains

Je te loue de ce que je suis une créature si merveilleuse.

Tes œuvres sont admirables, Et mon âme le reconnaît bien. Psaume 139:14

Notre corps comprend 3 parties :

Il y a : **La Tête** ou prennent naissance nos pensées, **le Tronc** ou sont situés

nos principaux organes et **nos membres** qui nous permettent de bouger.

La tête comprend en avant la face et en arrière le crane.

Le Tronc comprend le thorax (poitrine) et l'abdomen (ventre).

La partie arrière de notre tronc s'appelle le dos.

Les membres supérieurs comprennent le bras, l'avant-bras et la main.

Les membres inferieurs comprennent la cuisse, la jambe, le pied.

1. Jambe
2. Thorax
3. Cheville
4. Main
5. Epaule
6. Abdomen
7. Bras
8. Cou
9. Crane
10. Coude
11. Pied
12. Genou

Chaque organe du corps humain a été créé pour un rôle spécial.

Nous devons identifier ce rôle le bon fonctionnement du corps.

6

La Tête

Et déjà **ma tête** s'élève sur mes ennemis qui m'entourent;

J'offrirai des sacrifices dans sa tente, au son de la trompette;

Je chanterai, je célébrerai l'Éternel.

Psaume 27:6

La tête : elle est formée du crâne et de la face.

Le crâne est couvert de cheveux.

La face porte les yeux, le nez, la bouche, les oreilles,

le menton, le front, et les joues.

1. La bouche
2. Le nez
3. Le front
4. Les joues
5. L'œil
6. L'oreille
7. Le menton
8. Cheveux

La tête est unie au tronc par **le cou.**

Les Membres

Car, comme le corps est un et a plusieurs membres, et comme tous les membres

du corps, malgré leur nombre, ne forment qu'un seul corps, ainsi en est-il de Christ.

Nous avons tous, en effet, été baptisés dans un seul Esprit,

pour former un seul corps, soit Juifs, soit Grecs, soit esclaves,

soit libres, et nous avons tous été abreuvés d'un seul Esprit

1 Corinthiens 12:12-13

Ton corps a quatre membres. Deux (2) membres supérieurs et deux (2) membres inférieurs

Les membres supérieur comprend **le bras, l'avant-bras, la main. Le coude** relie l'avant-bras au bras.

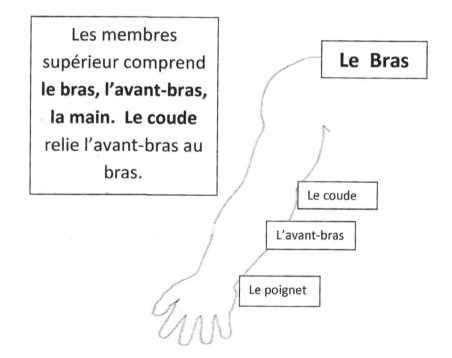

Le Bras

Le coude

L'avant-bras

Le poignet

1. La main est composée de 3 parties :

❑ le poignet ;

❑ la paume ;

❑ les doigts.

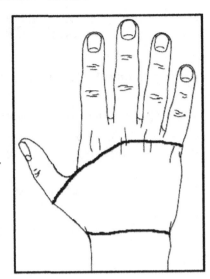

Colorie ces trois parties d'une couleur différente sur le schéma ci-contre.

Nomme oralement les cinq doigts de la main !

2. Le squelette de la main.

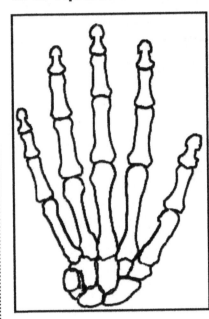

Observe le schéma des os de la main.

Retrouve les trois parties de la main (poignet, paume et doigts) et colorie les os de chaque partie de la couleur choisie à l'exercice 1.

Compte les os de chaque partie de la main et complète :

● le poignet compte ____ os ;

● la paume compte ____ os ;

● les doigts comptent ____ os.

En tout, la main est formée de ____ os !

3. Les articulations.

Les doigts sont articulés.

Observe ta main et dessine pour chaque doigt un point rouge sur chaque articulation.

Attention au pouce !

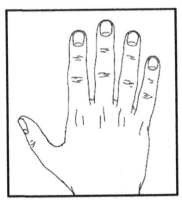

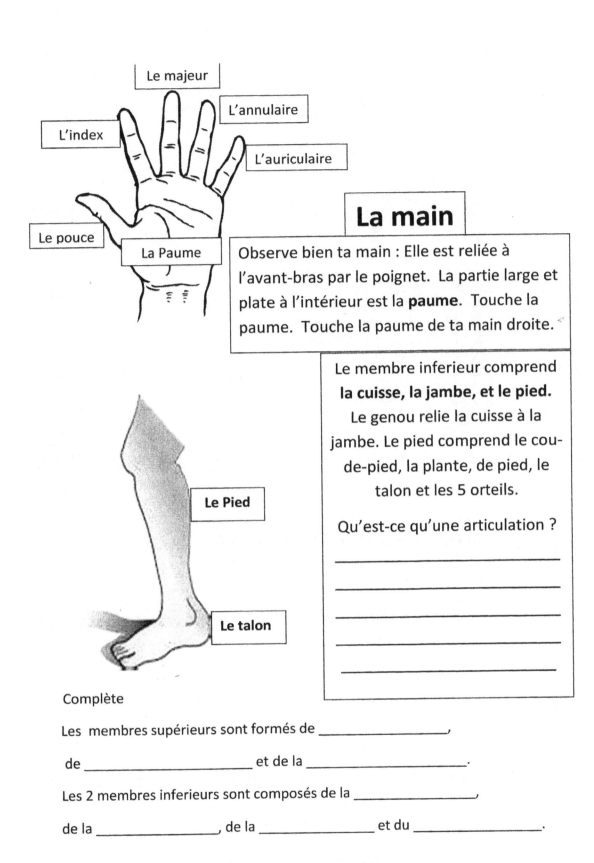

Le majeur

L'annulaire

L'index

L'auriculaire

Le pouce

La Paume

La main

Observe bien ta main : Elle est reliée à l'avant-bras par le poignet. La partie large et plate à l'intérieur est la **paume**. Touche la paume. Touche la paume de ta main droite.

Le membre inferieur comprend **la cuisse, la jambe, et le pied.** Le genou relie la cuisse à la jambe. Le pied comprend le cou-de-pied, la plante, de pied, le talon et les 5 orteils.

Qu'est-ce qu'une articulation ?

_____

_____

_____

_____

_____

Le Pied

Le talon

Complète

Les membres supérieurs sont formés de _____,

de _____ et de la _____.

Les 2 membres inferieurs sont composés de la _____,

de la _____, de la _____ et du _____.

Le Tronc

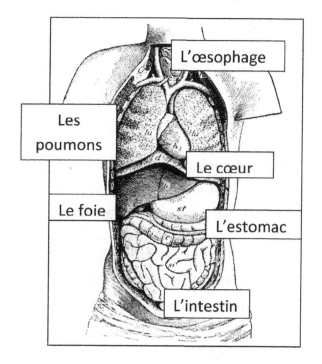

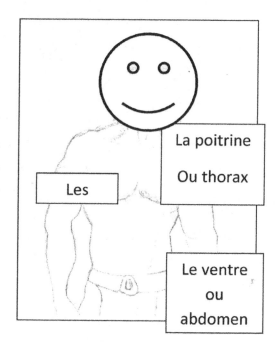

Tu y distingues deux parties :

La partie supérieure appelée poitrine c'est le thorax

et la partie inferieure appelée ventre c'est l'abdomen.

Touche tes cotes, elles protègent les organes

qui logent dans ton thorax.

A l'intérieur du thorax et de l'abdomen on trouve

les organes.

Ce sont le cœur et les poumons dans le thorax ;

l'estomac,

les intestins, le foie, la vessie dans l'abdomen.

Activité Biblique

Unité No. 1

Qui sommes-nous ?

A. La prière des Jeunes.

1. Père Créateur, qui nous as donné la vie,
   Préserve-nous de gâcher notre vie.

2. Fils de Dieu, Jésus-Christ,
   Qui conduis les hommes,
   Sois notre Chef.

3. Saint-Esprit,
   qui chasses le mal et répands le bien,
   Rends-nous obéissants et disciplinés.

4. Jeunes frères unis pour la gloire de Dieu,
   Aimons-nous et donnons-nous pour Son service.

5. Par la prière et le travail,
   toujours prêts à servir,
   Combattons sans souci les difficultés de la vie.
   Prêts au sacrifice.

6. Quand Jésus seul nous voit,
   comme si chacun nous voyait,
   Vivons notre foi loyalement, honnêtement.

7. Par amour pour Lui, consacrons à Son service
   Nos mains propres, nos paroles propres,
   nos pensées propres.   AMEN.

B. Complète ce texte:

Dans ma classe, il y a .... élèves. Certains sont
catholiques, d'autres méthodistes, ou encore ....

C. Complète ce texte:

Nous sommes .... parce que nous croyons
en Jésus-Christ, le Fils unique de Dieu. Les chrétiens de tous
pays, de toutes races, de toutes langues lisent la.......................
et s'adressent à Dieu par la.............................

D. Lis et réfléchis:

Nous sommes encore jeunes, mais Dieu peut se servir de nous
pour faire connaître son amour dans le monde. Nous pouvons
lui plaire dans notre vie de tous les jours en priant, en obéissant
à nos parents, à nos instituteurs et à tous ceux qui prennent soin
de nous, en disant toujours la vérité, en respectant le bien d'au-
trui et en lisant, si possible, chaque jour Sa Parole dans la Bible.

E. Réponds:

Que vas-tu faire aujourd'hui, cette semaine, pour montrer autour
de toi que tu es chrétien?

140

Unité No 2.

Dieu a tout créé.

A.   Lis et réfléchis:

Au commencement, Dieu créa les cieux et la terre. La terre était informe et vide; partout il y avait des ténèbres et l'esprit de Dieu planait au-dessus de toutes choses. Dieu dit: "Que la lumière soit!" et la lumière fut. Dieu appela la lumière, Jour; et il appela les ténèbres, Nuit; ce fut le premier jour. Dieu forma ensuite le ciel; ce fut le 2ème jour. Puis il sépara les eaux d'avec la terre. Puis Dieu dit: "Que la terre produise de l'herbe et des plantes!" Cela fut ainsi et ce fut le 3ème jour. Dieu dit encore: "Qu'il y ait des lumières dans le ciel pour séparer le jour d'avec la nuit, et pour marquer les saisons, les mois et les années!" Ainsi le soleil brilla pendant le jour; la lune et les étoiles brillèrent pendant la nuit. Ce fut le 4ème jour.

Puis Dieu créa tous les animaux qui vivent dans les mers et ceux qui volent dans le ciel. Ce fut le 5e jour. Puis Dieu créa tous les animaux qui vivent sur la terre, tout le bétail et les reptiles. Dieu vit que tout cela était bon. Alors il créa l'homme à son image; Il créa l'homme et la femme. Il les bénit et il leur dit: "Je vous donne toutes les choses de la création; vous dominerez sur elles." Ainsi, en six jours, Dieu créa les cieux, la terre, les mers et tout ce qui existe. Il vit que tout cela était très bon et il se reposa le septième jour.

(Ce récit se trouve dans la Bible,
livre de la Genèse, Chap. 1.)

Application

B.-   Oui ou Non

L'homme créa la mer et les poissons   _____

Adam fut le premier homme, Eve la première femme.   _____

Au commencement, la terre était informe.   _____

Les saisons sont marquées par le soleil, la lune et les étoiles   _____

Dieu se reposa le 6ème jour.   _____

141

C.-   **Complète par des dessins :**

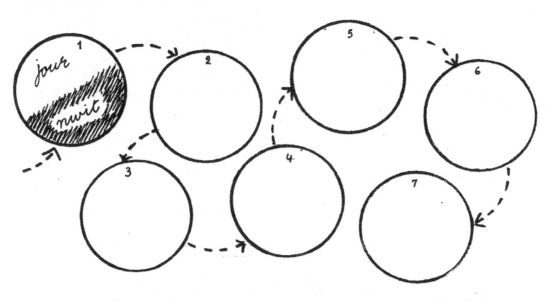

D.   Voici une prière de louange:

O Dieu! Merci pour toutes les belles choses que tu as mises sur la terre. Merci pour les arbres, les fleurs et les fruits. Merci pour le soleil et pour la pluie. Merci pour les montagnes, la campagne, les rivières et la mer. Merci pour notre beau pays!   Amen.

E.   Encadre ce verset en couleur et apprends-le :
      Genèse 1:1 +   31a

_____

_____

Activité Artistique

Activité Artistique

Colorions avec des numéros.

An nou mete koulè nan chak moso foto a ki gen nimewo.

1 = vert - vèt;   2 = bleu foncé - ble ki fonse   3 = rouge -wouj;   4 = marron - mawon
5 = bleu pâle - ble ki pal.

Découpage / Classement

Je colorie ces six carrés, je découpe et je les colle en ordre.

M'ap koupe sis (6) kare sa yo. M'ap mete desen yo nan lòd.

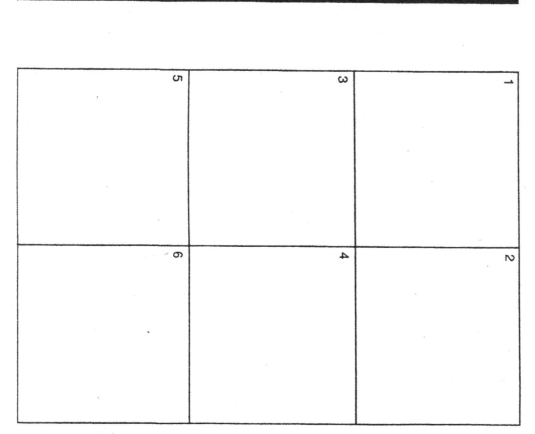

Ribambelle :

Je plie, en accordéon en suivant le pointillé, je découpe le dessin.

J'ouvre et je vois . . . .

M'ap pliye on akòdeon, m 'ap taye desen -an.

modèle

Dessinons la poule à l'aide des carrés.
An nou desinen poul la dapre modèl la.

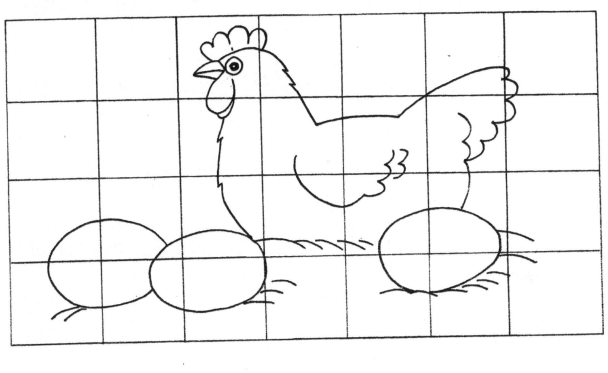

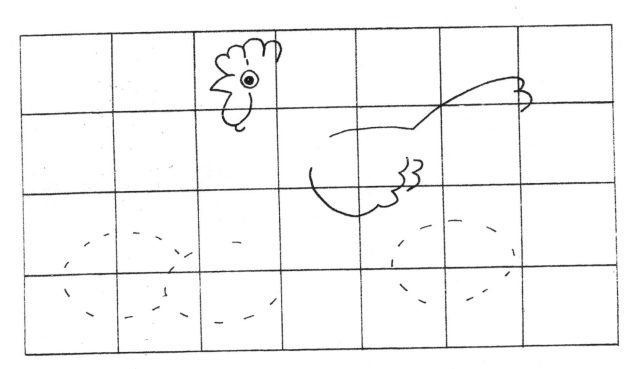

Anglais

A classroom - Yon sal de klas

Pencil

kreyon

Backpack

Valíz

Chalk -- lakrè

Eraser -- efaswa

Scissors --
Sizo

Glue --
lakòl

Spiral notebook

Kaye kir relye

Ak ti fè won

Lunch box -
bwat pou manje

Book -- liv

Clock -- Revèy

Write --
Ekri

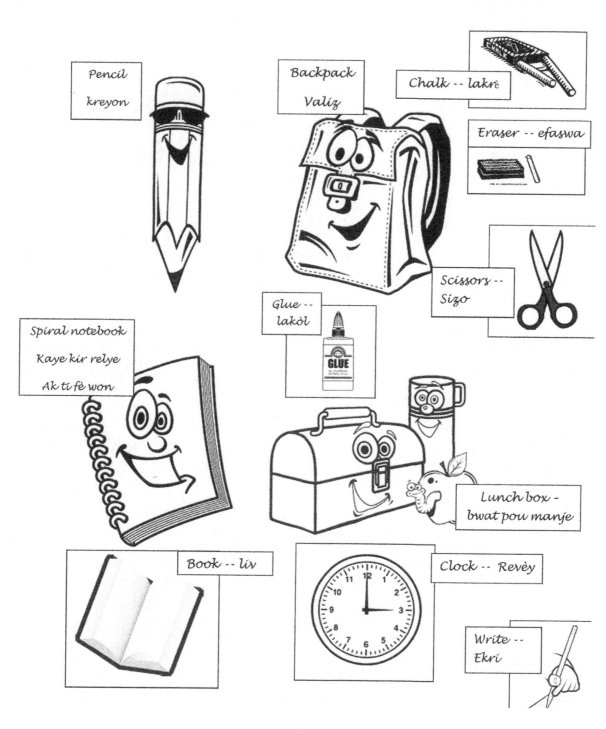

ENGLISH/ ANGLE

Draw a picture

Desinen yon pòtre

Raise your hand.

Leve men ou

1. Pencil –Kreyon
2. Textbook- liv
3. Chalk – lakre
4. Student – elèv
5. Desk – biwo
6. Paper – papye
7. Eraser – gòm
8. Notebook – kaye
9. Pencil sharpener – Tay kreyon
10. Map kat jewografi

Ask a question.

Poze yon kesyon

Answer a question.

Reponn yon kesyon.

Open your book

Ouvri liv ou.

Write on the board

Ekri sou tablo a.

Talk to the teacher

Pale ak pwofesè a.

Cut the command and paste it in the correct picture

Look at the board

Stand up

Write your name

Close your book

Read

Be quiet

Take out your notebook

Raise your hand

Listen

Sit down

Open your book

Draw

Espagnol

1. la salle de classe - el <u>aula</u>
2. le tableau - <u>la</u> <u>pizarra</u>
3. la craie - <u>la</u> <u>tiza</u>
4. le classeur - el archivador
5. le cahier - el <u>cuaderno</u>
6. un stylo - <u>un</u> <u>bolígrafo</u>
7. une gomme - <u>un</u> <u>borrador</u>
8. une équerre - <u>una</u> <u>escuadra</u>
9. un crayon à papier - <u>un</u> <u>lápiz</u>
10. un étui - <u>un</u> <u>estuche</u>
11. un crayon-feutre - <u>un</u> <u>rotulador</u>
12. une sonnerie - <u>un</u> <u>timbre</u>
13. un emploi du temps - <u>un</u> <u>horario</u>
14. la récréation - el <u>recreo</u>
15. les vacances - <u>las</u> <u>vacaciones</u>

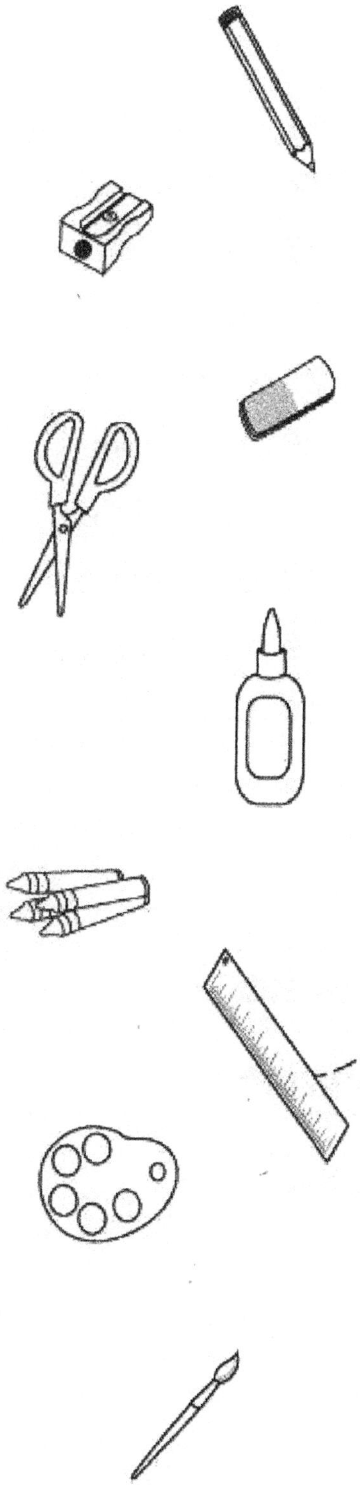

los lápices de colores

la regla

el pincel

las pinturas

la goma

las tijeras

el lápiz

el sacapuntas

el pegamento

155

Los números 0 a 30

0 cero

1 uno   **11** once   **21** veintiuno

2 dos   **12** doce   **22** veintidós

3 tres   **13** trece   **23** veintitrés

4 cuatro   **14** catorce   **24** veinticuatro

5 cinco   **15** quince   **25** veinticinco

6 seis   **16** dieciséis   **26** veintiséis

7 siete   **17** diecisiete   **27** veintisiete

8 ocho   **18** dieciocho   **28** veintiocho

9 nueve   **19** diecinueve   **29** veintinueve

10 diez   **20** veinte   **30** treinta

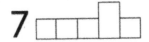

nueve   seis   tres   uno   cinco
dos   siete   diez   cuatro   ocho

3   9

5   6

10   4

1   8

7   2

Made in the USA
Middletown, DE
07 April 2022

63760878R00091